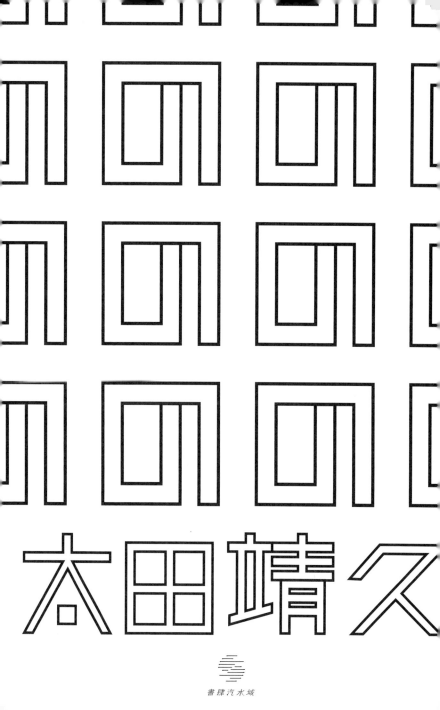

太田靖久

書肆汽水域

目次

題字　大竹 伸朗
装幀　中原 麻那

ののの

太田靖久

ののの

★

冬の夜、両脇に田んぼが続くアスファルトの道を一人の男子中学生が自転車で走っている時、彼の首から下がっていたビニールヒモが辻に立つ木の太い枝先に引っ掛かった。冷たい向かい風に身体を縮め、ペダルを強く踏みしめて疾走していた彼はふいに首を後ろに引かれ、ハンドルを握っていたオレンジ色のフリースの手袋をハンドルから滑らせた。無人の自転車は霜が降りて堅くなった田んぼを暴走して派手に倒れたが、ヒモはピンと張りつめ、慣性の法則で急に動きを止められた彼の首の骨は砕け、荒れた唇から漏れた断末魔の叫びはすぐに消えた。

数時間後、帰宅の遅い息子を心配して懐中電灯を持って家を出た彼の父親よりわずかに早く、木の枝にぶら下がる中学生の姿を認めたスーツを着た男は、彼の生死を確かめるよりも先に、彼の首から下がったビニールヒモに付いたＩＤカードを調べた。そのカードは、名前と顔写真の入った自転車の通学許可証だった。

　スーツの男は自分の息で時折指先を温めながら、携帯電話の幽かな明かりをかざしている。遠くからこちらに迫ってくる光が男の視界に入り素早く顔を向けた瞬間、道の先に誰かがいることで身構えた中学生の父親は通学許可証が光に反射したことに気づいた。

　この時、中学生の命を奪ったものは二つある。首から下げられていた自転車の通学許可証、そしてそれを巧みに引っ掛けた木の太い枝。その木は松でも杉でも檜でもなく、ユーカリだった。当たり前だがこの件で誰かが罪を問われることはなく、中学生の両親や弟は感情のやり場をなくした。葬式の日は雨だった。喪服の裾を濡らし、遺族に対して丁寧に頭を下げた人々は背中を向けて出口に立つと顔をしかめ、空を見上げた。

　雨が降ると本が溶ける。

　葬儀屋の横にはフェンスで囲まれただだっ広い国有地があり、大量の白い本が野晒しになっていた。本は横に寝かせられて土地一杯に敷きつめられ、崩れ落ちないようにするための配慮なのか、少しずつ内側に向かって高く重ねられていた。形も厚さもほぼ均一で、白以外の色の本はなかった。その大量の本は一つの大きな山を形成する訳ではなく、いくつかの山に分けられ、高低には微妙な差があった。だからそれは山というより連峰といった姿で、白い本に跳ね返る太陽の光は、雪の輝きを思わせた。でも今は激しい雨が降っていた。太陽はどこにもなかった。

喪服の人々は本の山に視線を送ることもなく、傘を広げ、水たまりを避けながら進んだ。寒さに震えて肩を落とし、無言のまま三々五々に散っていく。汚れた雨水が音を立ててアスファルトの路肩に吸い込まれていく。


この二年前の事故で死んだのは僕の兄で、僕が彼についてよく思い出すことは「なあケンジ、本当にそれだけか?」と口癖を言う時の、こちらを試すように笑う彼の表情だった。兄は中学二年で死に、その時僕は小学六年だった。

僕の家では夕食時にテレビがついていた。両親は共働きの自営業で、だから父親と一緒になることは希だったが、兄と僕と三人で食べることもあった。父親はテレビのチャンネルをいつもニュースに合わせた。彼は「改革」や「革命」や「刷新」といった言葉が好きで、その手の話題が出ると一々手を止めて僕に話しかけた。「また新しい船が来た。これで古い船は沈む」と。

この頃、国産車のテレビコマーシャルにこんなものがあった。甲板に色とりどりの軽自動車を乗せた巨大な黒船が海の向こうからやって来る、洋服にチョンマゲ姿といった間抜けな格好の人々が海岸にいて船の出現に驚愕する、船が沖で停まると軽自動車は次々に飛翔して上陸する、人々はその鮮烈な登場に感嘆の声を漏らす、さっそうと走り去る車の列、その画にキャッチコピー、「新しさはいつも、海を越えてやって来る」。

この軽自動車は国内で販売された当初は売り上げが低迷していたが、ヨーロッパで人気に火がついたことをきっかけに、逆輸入された形で日本でも売れはじめた。このコマーシャルにはそんな一連の流れを皮肉った意味もあるようだった。僕の父親が口にする「新しい船」のイメージはたぶん、この黒船のことだったと思う。

でも僕の父親の好きな「改革」や「革命」や「刷新」という言葉は、このコマーシャルに代表される自動車や家電、日用品などの生活に関するものに限られている訳ではなかった。政治、経済、金融、スポーツ、教育、医療、科学、物理、芸術など、どの分野で使われていても彼は嬉しそうだった。その手のニュースが報道される度に「なあケンジ、海に沈む難破船を見に行こう」と僕を誘った。

「今から海に潜るの？」と僕は驚く。

「そんなことはしないよ」と父親は呆れたように首を振り、箸でテーブルを突くように上下させた。「俺たちのいるここがそうだ。ここは地上であり、海の底でもあるんだ」

「それはずっと昔の話でしょ？」

高い山の中腹からアンモナイトの化石が取れたり、小高い丘の上で縄文時代の貝塚が発見されることなどを意味しているのだと思ったが、父親はその質問には何も答えなかった。兄は面倒を避ける仕種で半身になり、夕食を適当に終わらせて食卓から離れた。

海に沈む難破船とは何なのかと、僕は父親に尋ねた。「たくさんある。例えばそうだなあ」と天井を仰ぐ。「ゆとり教育」、「もったいない精神」、「住宅すごろく」、「核保有の必要性」、「流動性の罠」、「ダム建設」、「ハイテク水着」、「豚インフルエンザ予防対策」、その他。そしてその中には「本の大量生産」というのもあったのかもしれない。

父親の口調は、かつての幼い僕に昔話を聞かせてくれた時と同じだった。僕がもう既に色々と感じたり、理解していることに気づいていないのだろう、僕は父親の話にも、それぞれの来歴にも興味がなかった。はじまりと終わりを知ったところで、現在それらはただの古ぼけた難破船でしかなく、その寂れた姿こそが全てを物語っていると思えたからだ。父親が口にしたいくつかのたとえから察するに、難破船には目に見えるものと目に見えないものがあるようだったが、父親が僕を連れていくのはいつも、目に見える場所だけだった。

「古い船が勝手に海に沈むなら手間は省けるが、やつらには手足があってどこにでも現われる。なぜなら強い恨みがあって、醜いその姿態を晒して最後の悪あがきをするんだ」

船体には穴が開き、マストは折れ、帆はとっくに破れている。朽ち果てかかった船は風や波を利用し、どうにかして浜に打ち上がる。そして人気のない山や谷や空き地を見つけてその場所で力つき、苦々しい形相を浮かべて息を引きとる。

入口はあっても出口のない高速道路、山を削っただけで放置されたゴルフ場の建設予定地、骨組みだけの高層ビル、埋め立てたものの別の場所から水が湧き出した沼、メリーゴーランドしかない遊園地、無風の丘に立つ風力発電のプロペラ、半身だけの巨大な仏像、滑走路が五十メートル短いだけで使用できない空港、川の水を塞き止めることのできないダム、数え上げたら切りがない。

父親が仕事を終えた夜中、僕は寝ぼけながら水色のシーマの助手席に乗せられた。すぐに眠りこけ、現場に着くと父親に起こされ、立ち入り禁止のロープを潜ってぬかるんだ道を進んだ。懐中電灯の明かりの中、難破船を見学し、帰りもまた眠りこけた。僕に残るのは疲労だけで、感慨も感動もなかった。そんなことがあった次の日は必ず、兄が僕に話しかけてきた。「今度の難破船はどうだった？　宝物を積んでいたのか？」と。

冒険小説の読み過ぎだ、そんな立派なものはどこにもないよと僕は答えた。「どれもただの残骸だ。悪臭を放つものもあれば、すぐに崩れ落ちそうなものもある。野良猫の遊び場になっていたり、肝試しの人気スポットになって落書きだらけだったりする。宝物なんてどこにもないし、万が一あったとしても誰かが持ち去った後だよ」

そう告げると彼は決まって言い返した。

「ちゃんと良く見たのか。なあケンジ、本当にそれだけか？」

兄は唇の端を曲げている。僕は気に食わない。だったら自分で確かめればいいじゃないかと吐き捨てるが、同時に、本当は何かを見落としているのかもしれないと前夜の出来事を振り返ってしまう。

「ねえケンジくん、思い出になる出来事ってどういうものか知っている？」

兄とのやり取りから数年後に出会う女の子に僕はそう質問される。彼女はホットケーキの欠片を口に放り込む。「全然知らない」と僕は冷たく言い放つ。彼女は不愉快な素振りも見せずに快活に言う。

「思い出になるのは、自分で思い出したことがあることだけだよ」

その瞬間、僕は息を飲む。

「なあケンジ、本当にそれだけか？」という兄の言葉を受け、前夜の出来事を思い出すことを反射的に繰り返していたことが、僕の思い出を決定付けたのかもしれない。まだ幼くて、寝ぼけていて、少しの興味もなかったことなのに、僕は父親と出向いた全ての場所を思い出せる。それらは深い青色で塗り込められた記憶、ちょうど海に沈んでいるような姿で僕の胸に淡く浮かび上がる。その風景をイメージして目を閉じると、寓話やたとえ話としてではなく、僕らのいるここが地上であり、海の底でもあるという父親の言葉の意味がわかる気がした。濁った海の中、僕は細目を開けてゆっくりと泳ぐ。汚泥にまみれ、海草に覆われ、魚や珊瑚の住処になっている難破船の数々、時間が経ち、海水に侵食されて少しずつ溶けていき、消えていくのだろう。僕は身体を揺らす。大きく息を吸い込むようにして、その水を飲み込む。何の味もしない。

兄が死んだ後、思いつめた表情を浮かべて無口になった父親はニュースを全く見なくなった。

僕は一人でいる時だけテレビをつけた。「革命」や「改革」や「刷新」は相変わらず叫ばれ続け、新しい黒船は続々と到来していた。その度に、僕の胸にある海にマストの折れた船がゆっくりと沈んだ。その青く穏やかな風景こそが、兄の不在を僕により強く意識させるのだった。

僕の兄を殺したあのユーカリは、年を追う毎に確実に生長を続けた。巨大になるにつれて落ち葉の量も増え、それが用水路を詰まらせる原因になっていると、付近の田んぼを所有する農家が役所に苦情を持ち込んだ。また、中学校の通学路の辻に立って視界を妨げており、子供達が車にひかれそうで危ないという指摘もあった。その木の存在意義は何もなかったから、大した議論もないまま、あっさりとユーカリの伐採が決定した。それはつまり、殺人を犯したものが断頭台に連れて行かれることを意味した。農家の人も役所の人もあの事故を覚えていて、全員が腹の内では同じことを考えていた。

「大罪は命をもって償われなければならない」

「木が人を殺すなんて生意気だ」

「あの子には輝く未来があったに違いない」

ユーカリを伐採する前日、夏休みの最終日の夕方、中学二年の僕はそのユーカリを見上げていた。この時期になるとユーカリは脱皮をするように樹皮を脱ぎ捨て、真っ白な姿態を晒す。脱ぎ捨てられた樹皮は洗濯物のごとく枝にひっかかったり、下に落ちて風に飛ばされ、果たして用水路を詰まらせたりした。

ユーカリ以外の木にもそんな特性があるのかどうか僕は知らなかったが、少なくともユーカリ以外の木がそんな姿になるのを目撃したことはなかった。茶色く干涸びて薄汚れた樹皮の下から、顔を出す白く輝く裸身、その表面に触れるととても滑らかだった。

学校では「人殺しの木」と呼ばれ恐れられ、あの事故以後、自転車の通学許可証を首から下げることは校則違反となった。僕は考える。自由になったことと不自由になったことの数を左右に書き出した時、一体どっちの数の方が多くなるのだろうかと。自転車の通学許可証を首から下げる自由などたいしたことではないと思う反面、規制というものの息苦しさは確かに感じている。これが校則で留まる分には一定期間の話で終わるから深い思慮など持たなくても済む。でもそれが生涯つきまとう規制で、「革命」や「改革」や「刷新」という言葉の元に唐突に施行されたり、廃止されたりする不確定なものだったらどうなのだろう。

僕はもう一度手を伸ばす。指を大きく広げてユーカリの幹に押し付けると、僕の手形が残る錯覚があり、同時に、木の内部で水を吸い上げる音が聞こえた気もした。僕は息を吐いた。かつてどこかで誰かと誰かが話し合いをし、ここに植える木としてユーカリを選んだ理由があったはずだと確信した。

湿気を多く含んだ強風が僕とユーカリの間を吹き抜けた。上空で雲が流れ、段々と色が濃くなった。そのせいでわずかに覗いていた太陽が隠され、辺りは一気に暗くなる。僕は自転車の通学許可証をジーンズの後ろポケットから取り出し、ヒモを首にかけた。そして自転車にまたがると、向い風によろめきながらペダルを強く踏みしめて進んだ。道の両側、たくさんの実をつけて頭を垂れる稲穂が風の流れに合わせ、抵抗することなく揺れた。その乾いた音が僕の感情が奏でるざわめきに思えて、両腕に余計な力が入った。

古びた橋を渡り、川を見下ろす。さほど大きくもない黒く流れるその川。今はまだ穏やかだったが、大雨が降ればすぐに増水し、氾濫する可能性が常にあった。この川の上流にこそ、水を塞き止めることのできない崩壊寸前のダムがあった。僕は顔を上げて睨んだ。この川に限らず、川という川が嫌いだった。川が一匹の巨大な生き物のように見えるからだった。

予報通り大型の台風が列島を直撃したその日の真夜中だった。僕の父親が家をそっと抜け出したことに僕を含む家人の誰も気がつかなかった。川の水が増して氾濫する危険性があると、近所の神社に設置されたスピーカーから、役所の緊急放送が響いていた。

強風と大粒の雨の中を飛び出して僕の父親が向かったのは、ブルドーザーやショベルカーの置かれた土木建築会社の駐車場だった。彼は以前そこにつけ放しで忘れられていたショベルカーの鍵を盗んでいて、それが実際に使えるのかどうかを常に試していたから、足取りに迷いはないはずだった。

台風の中を走るショベルカーを目撃した人はいなかった。彼はショベルカーで橋を渡り、川の対岸にある堤防に出ると、コンクリートで護岸工事がなされた場所は避け、雨で土が柔らかくなった部分を削りはじめた。その様子を、収穫前の田んぼが心配で外に出ていた一人の老人が見ていた。ショベルカーが氾濫寸前の川に対し、何らかの有効な働きをしているのだと彼は解釈し、注意を向けた。老人は風にはためく合羽を押さえ、強い雨に打たれてよろめきながら目を凝らした。

ショベルカーの動きはひどくぎこちなく、扱いに不馴れであることがすぐにわかった。非常事態の動きとしては精細さを欠いていて、それゆえ何をしようとしているのか、傍目から簡単には判別がつかなかった。ショベルカーは土を削り続けた。そして削った土をあらぬ方に捨てると、一心不乱にさらに削った。その行為が何度か繰り返された後、さすがに老人も意味を理解した。信じられないことだが、あのショベルカーは堤防を決壊させようとしているのだと。

川は今にも溢れだしそうな濁流だった。小枝や壊れた傘はもちろん、巨大な岩や車のタイヤが橋を支える円柱に激突し、大きく飛沫をあげている。台風の勢力は多少衰えたとはいえ、風速は四十メートルに迫る勢いで、立ち去る気配は微塵もなかった。老人は長靴の底を地面に擦るようにして慎重に歩き、ショベルカーに少しずつ近付いた。「止めろ、何をしているんだ」と叫ぼうとしたが、強風で上手く口を開けることができなかったし、そんな声が相手に届くはずもないと忌々しげに唇を嚙んだ。

老人の歩みはとてものろかった。その間に僕の父親はショベルカーの操縦にある程度慣れたのか、的確に確実に土を削っていった。もう時間がない、老人は焦った。両手を必死に伸ばして運転席の男を引きずり出そうと考えていた。あと少し、もう少し。その時だった。ショベルカーが突然身体をひねった。重量のある長い首が、老人の横面を思い切り叩き、彼は弾け飛んだ。

不可抗力だったとはいえ他人に危害を加えてしまった僕の父親は慌て、ショベルカーを反対側に動かそうとした。動揺で操作を誤り、自分が削って捨てた土の山に乗り上げ、その拍子に下からの突風でショベルカーはひっくり返った。僕の父親は頭を強打し、気を失った。どんなに大粒の雨がその顔に降り掛かっても一向に目を覚まさなかった。

僕の父親が堤防に作った小さな目印を荒れ狂う川は見逃さなかった。窮屈に押し込められた場所から新しい出口を見出した濁流はその破れ目を一気に攻め立てた。

台風一過の夏休み明け初日、学校は休みになった。それからの数日間のことをほとんど覚えていない。僕の気持ちが落ち着くよりもずっと早く街は日常を取り戻した。そのことにすら気づかなかった。

しばらく学校をさぼり、目的もなく自分の街をさまよった。台風の残した爪痕などもはやどこにもなかった。所在なく辺りを見渡す僕は白い鳥と目が合った。通学路の途中にあるフェンスで囲まれた空き地、そこにも遺棄された大量の白い本の山があり、頂上にはいつも鳥がいた。

それは目がひらがなの「の」の形をした巨大な鳥で、全身が真っ白なこととその大きさ以外はカラスに良く似ていた。本の山はいわばゴミ捨て場と変わらない佇まいだったから、壊れた冷蔵庫や型の古いゴルフクラブ、使用済みの乾電池などを不法投棄しようとする人がいたが、その度に「の」の目をした鳥が威嚇し、追い払い、時にはくちばしで突くことさえもあった。

僕はその鳥の二つの目から「のの」と名前をつけ、本の山を最初は「ののやま」と呼んでいたがそれがいつの間にか省略され、「ののやま」となった。この呼び方は僕一人だけのものだった。父親に言わせればこの「ののやま」もいわゆる難破船の一つだった。

「そろそろ学校に来られそうか?」

二学期が始まって数日経ったある日の夕方、僕の家を訪ねて来たのは、学級委員の野々山だった。中学に入って彼に自己紹介された時、彼の見た目や態度に気をとられ、すぐには「ののやま」のことを連想しなかった。野々山は色白で背が高く痩せていて、声に力強さがあった。席が隣になったという理由だけで唐突に握手を求める彼は、自分が他人にどう見られるのかということに全く配慮していないように映った。自信とは本人の心のあり方ではなく、その周りにいる人が決めることなのだと知った。

彼の私服姿を見るのは初めてだった。少しサイズの大きい白いシャツにタイトなブラックジーンズ、黒い革靴は新品に見えた。首に赤いヒモが覗いていた。それは自転車の通学許可証かもしれないと思ったが、彼は徒歩でここに来たようだった。

「とりあえず外に出ろよ。家でふさぎ込んでいても仕方がないだろ」

野々山は命令口調で言った。追い払うつもりでいた僕はその高圧的な態度に怯み、口籠った。僕の顔を凝視していた彼はふいに思い出したように、「お父さんのことは大変だったね」と一転して優しい口調で言った。「でも街の英雄じゃないか。男はみんな、本当はあんな風に死にたがっているんだ。仕事でこき使われて過労死したり、不治の病で苦しみながら死ぬよりも断然良かったと思う」

彼はそこまで言うと下を向いて苦笑し、「お父さんが亡くなったことを良いことだなんていったのは失礼だったけど、本心なんだ。気を悪くしないで」と謝った。僕には野々山の態度もこの一連の流れも仕組まれたものに思えたが、心は否応なしに動かされた。慰められた気持ちになって涙が出そうになった。「でも結局は無駄死にだった」

「そんなことない。立派だよ。ショベルカーを盗んでまで川の氾濫を食い止めようとしたんだから」

この言葉は色々な人から散々聞かされていて、僕はその都度、神妙に頭を下げた。でも野々山の口からそれを聞いた時、なぜだかわからないが悪意を嗅ぎとり、涙が寸前で止まった。

「みんな心配しているんだ。学校に来いよ」

「みんなって誰だよ」

「みんなはみんなだよ」

僕は彼を睨みつけ、「学校に行く気はない」と告げた。

野々山は相変わらず自信満々な口調で僕の肩に手を置いた。

「川は穏やかだ。だからもう恐くないよ」

そう言い切る彼に不快感を覚えながら、彼の言葉の持つ力に引っ張られ、本当に自分は川が恐いということを理由に学校に行けなくなっているのではないかと思わされてしまった。僕は奥歯を噛み締め、Tシャツの胸の辺りを掴んだ。僕の中で曖昧な感情や想念として渦巻いていたものに付けられた不本意な理由。今ここに貼り付いたものをえぐり出し、引きちぎりたい衝動にかられたが不可能だった。

「川が恐いわけじゃない」

「だったら出てこいよ」

彼は僕の肩に置いた手に力を込めた。

「俺が今帰ったら、明日お前は学校に行けない。でも一度でも行けたら明日もまた行ける。さあ出てこいよ」

彼は僕を引き寄せた。その勢いで僕は玄関のたたきに降り、スポーツサンダルを履いてしまった。

「ほら、やればできるじゃないか」と野々山は笑った。彼の挑発に反発することと乗っかることのどちらが自分の本意なのかわからなくなるほど、僕は取り乱した。

「当たり前だろ」と僕はかろうじて言えた。

「リハビリには二種類あるんだ」

野々山は僕に向かって二本の指を立てた。「飴とムチ、優しさと恫喝、母性と父性、寛容と強制、抱擁と鉄拳、どれも同じ意味だ。俺が好きなのは後者だ」

野々山は確かに大人びて気取ったところがあったが、ここまで徹底していただろうかと疑念を持った。でも深く考える余裕はその時にはなかった。彼は僕の背中に回り込み、両手で押した。僕は慌ててドアノブに手をかけて回し、ドアを開け、前傾姿勢のまま外に飛び出た。野々山も続き、「良く見ろ、もう台風は去った後だよ」とあごを突き出し、茜色に染まった空を眺めやった。僕はもう何も答えなかった。

野々山は僕と肩を組み、中学校の校歌を歌いながら歩いた。「青春」や「友情」や「健全」を織り込んだ歌詞を強調するようにして彼は抑揚をつけ、声を張り上げた。

「お前も歌えよ」

「そんな歌は知らないよ」

右手にある塀の向こうから、風呂桶が落下する乾いた音が聞こえた。そこは車が一台だけしか通れない狭い道で、左手には古く大きな屋敷があり、カラタチなどの低木が植わっている。人の姿は見えなかったが、庭でバーベキューをしているのか、肉や野菜を焼く匂いが漂っていた。

朽ちかけた道祖神のあるT字路を左に折れると、フェンスで囲まれた空き地があり、「ののやま」がある。今夜はその頂上に「のの」の姿はなかった。でもきっと僕が靴を脱いで中に放れば、それを素早くくわえて投げ返してくるはずだ。隠れているはずの「のの」を探そうとして僕が視線を向けた時、「ののやま」が軋んだ音を立てて少しだけ沈んだ。聞き慣れた音だった。雨が降る度に本が溶け、内部から徐々に崩れ落ちているのだろう。野々山はそっちの方を見向きもしなかったが、それが「ののやま」を含む、いわゆる難破船に対する一般的な人々の態度と同じだった。

人々がいわゆる難破船について関心を持ち、言及する時は決まっていた。建設途中で放り出されたダムが豪雨によって崩壊する危険性があるとか、ゆとり教育で育った子供達が無表情で人を刺し殺すようになったとか、そういった問題が噴出した場合だけだった。その時になって初めて、人々は海の底で揺れる難破船の黒い影を指差し、あの船が間違っていた、誰かが責任をとれと抗議した。でもその段階にきても、わざわざ海に潜って船を子細に調べたりはしなかった。建設途中のダムが壊されて更地になったり、ゆとり教育を受けた世代よりも団塊の世代の方が殺人も自殺も多いのだという統計が発表されたりすれば、人々は安心し、きれいに忘れることができた。

そういった中、高速道路の高架下、空き地、封鎖されたトンネル内、国有地や国有林、廃校となった小学校のグラウンドや体育館などに放置されている白い本の山も確かに目障りな残骸ではあった。明らかに景観を損ねていたし、本が半液状になって溶けている様子を目にするのは気持ちの良いことではなかった。小さな子供を持つ親達は、本の山に子供達が近寄ることを嫌い、注意した。でも、本が占拠している場所は自分の土地ではなかったから、それらを撤去して欲しいとまでは訴えなかった。多少の不快感はあるが踏み込む程のことではない、なぜなら本の山は人々に対し、少しの危害も加えなかったからだ。

悪臭を放つわけではなかったし、ハエや蚊などの害虫の寝床になることもなかった。人間関係に疲れ、社会に不満を持った人が火のついたタバコを本の山に投げても、すぐに消えた。その本に特殊な防虫・防火加工がなされているのかもしれなかった。

また、白い本の山は雨によって確実に溶かされ、少しずつ消滅しており、時間が解決することが自明だった。だからなおさら抗議の対象にはならず、基本的には無視をされ、なるべく近寄らないようにしようとするぐらいがせいぜいだった。

子供達は親の言うことをよく聞いた。フェンスを越え、本の山に登って遊ぶ子供達はほとんどいなかった。それは彼らの従順さを証明するものではなかった。多くの子供達は親から教育される以前に、本の山に対して先天的に恐怖心を抱いていたのだ。成長するにつれてそれは消え、なぜ恐がっていたのかという理由もわからなくなったが、その時には恋愛や受験や将来の悩みで頭が一杯になっていた。

野々山と僕は「ののやま」の横を通り過ぎ、住宅街を抜けた。川に向かう短い坂の途中、彼は僕の耳元でそっと囁いた。

「少し変だと思わないか。もしお前の父親が川の氾濫を食い止めるためにショベルカーを盗んだのだとしたら、どうしてお前の家と反対の堤防に向かったのだろう。どちらかといえばあっちは高台になっていて、危険なのはむしろ盆地になっているこっち側じゃないか」

二人は密着しているせいで汗をかいていた。野々山の汗の匂いは獣じみていた。

「川の反対側の堤防を決壊させれば、そちら側から川は溢れ出す。つまりお前の父親は堤防をあえて破壊することで、家族を守ろうとしたんじゃないのか?」

野々山は僕から離れ、不潔なものを見る目つきで言った。

「なあ、本当のことを知っているんだろ?」

この言葉は兄の口癖と良く似ていた。僕の思考は条件反射的に過去へと向けられる。野々山は今、兄の代わりを務めているのだろうか。僕は懐かしさにとらわれそうになったがそれを追い払うようにして小さく首を振った。

僕は胸に手を置き、「ずっと以前に父親に教えられた言葉がある」と言った。

「それは、『何かを想像する時には、その想像の中で自分が想像していないことが起こりうることを想像しておけ』という言葉だ」

野々山は首を捻った。僕は無視して続けた。

「父親はこうも言った。『つまりお前の想像の中でお前の想像通りのことしか起きないのだとしたら、それは本当の意味での想像ではないのだ』と」

野々山は僕の言葉の意味を理解しようとしてか最初は耳を傾けていたが、僕を見限ったようにして表情を弛緩させ、足を前に突き出した。

「これは僕の父親が僕の父親の言うことなら何でも聞く男を真冬のパリに送り、あるブランドショップの先頭に並ばせて買った、この世で五足しか存在しない貴重な靴なんだ。三十万以上はするよ」

彼はそこで髪をなで、「それで何の話をしていた？　想像がどうかしたか？」ととぼけた。

「自分の基準でその靴の価値を伝えられないのか？」と僕は声を抑えた。彼は無言で僕を睨んだ。知らぬ間に二人は坂を登り終え、川を望む開けた場所に出た。当たり前だが、堤防のどこにもショベルカーはなかった。

僕は苛ついた口調で捲し立てた。「どうして傷ついたような顔をしているんだ。僕の言葉でお前が傷つく理由なんて何一つないじゃないか」

野々山は視線を逸らし、小さく明瞭に言った。

「人を不快にさせる方法は百九十あると誰かの本に書いてあった」

「そんなのは作者の冗談かもしれないじゃないか」僕は不満を零した。「言葉の意味をそのまま受けとるほどお前は純粋なのか？」

橋の入口に立つ、車の進入を防ぐ黄色い鉄柱をそれぞれ左右に避けた。二人が再び接近するタイミングで、「百九十のうちのたった一つでも俺が知っていたら、今お前を不快にさせることができるのにな」と彼は呟き、本気とも冗談ともつかない顔で笑った。僕はそれを本気だと受け取った。

「そんなのは簡単だよ。死んでしまった僕の兄や父親の悪口を言えばいいだけだ。お前の知っていることでもいいし、知らないことでもいい。都合の良い嘘をいくつでも並べればいいじゃないか」

その時二人は橋の真ん中にいた。川の流れは静止したように穏やかだったが、なるべく見ないように努めた。錆びた鉄の欄干に両手を乗せ、野々山は溜め息をついた。

「そういうやり方は、背後からお前の首をナイフで刺すのと同じで好きじゃない。そんなことをしたら、お前は大量の血を噴水みたいに俺に浴びせながら、それでもきっとこう言うんだ」

僕は次の言葉を待ったが、彼は何も言わなかった。

野々山は、言ってはいけないことを言おうとしている自分に怯えながら、それを口にすることの高揚感に負けまいとしている感じだった。そしてその一々が彼を興奮させているような横顔だった。

「誰にも気づかれないようにやりたいんだ。こっちが相手を不快にさせたことを絶対に悟られたくないんだ。例えば給食の牛乳の中に毒を混ぜて、それが数年後に身体を蝕むような仕組みが必ずあるんだ。それは例の百九十の中には入っていない方法だ。百九十一番目の方法を俺だけが見つけるんだ」

瞳孔が開ききった彼の言葉は自信に満ちていた。僕はその全てを冗談だと取った。

「雨が降ると本が溶ける」野々山は呟いた。「本が溶けると文字が滲み出し、文字は雨に混じる。雨は川に流れ込み、浄化されろ過され、飲み水になってしまうのか？　不要な水分は排泄されるだろうが、文字は言葉になって体内に残ってしまうのだろうか？」

彼の声は上ずっていた。僕は冷静に言った。

「その欄干、あんまり強く握らない方がいいぞ。手が臭くなるから」

彼はこちらに首を向けた。

「想像しろ。体内に眠る言葉にお前の想像を追いつかせろ。お前はどこに焦点を合わせればいいのかがわかっているんだ。兄が死んだ場面を想像しろ。父親が死んだ場面を想像しろ」

「早く離した方がいい。手後れになるぞ」

僕は再度警告した。彼はすぐさま叫んだ。

「お前には一つの選択肢しかない。そうでなければ犯罪者になるか、誰かに殺されることになる。お前の兄も父親も含め、全ての人間がその連鎖の中にいるんだ」

僕は野々山の手を思いきり叩いた。彼は慌てて両手を引っ込め、その場に立っていられないほどに激しく震えはじめた。川の色は真っ黒だった。表面に薄暗い空が映っていることだけが理由ではなかった。それは、白い本の山から染み出した文字の色だった。あれは僕だけに見えているのだとずっと思っていた。

野々山は唾を飲み込み、口をゆっくりと開いた。「あの日に台風が来て、この川がお前の父親を殺した。でもそれだけじゃない」

彼は左後方を指差した。学校の方角だった。僕はその動きに合わせ、視線を向けた。田んぼが広がっていて、ずっと奥に校舎があった。街灯に照らされているせいで白く浮かんでいるように見えた。通学路の見慣れたはずの景色が、いつもと違うことに僕はしばらく気がつかなかった。

僕は懸命に記憶を探り、頭を働かせ、景色に見入った。何回も、何十回も、何百回も僕はこの道を歩いてきた。意識したことはない、でもここから見える景色は確実に僕の中に眠っているはずだ。ほの暗い海の底、静かに横たわる黒い影に懸命に焦点を合わせる。もう少し、もう少しでそれがわかる。息を短く強く、吐く。

「キリャポ、キリキリバ、ポッ、ポッ、ポピコカッウオ！」

野々山が突然、巨大な破裂音を発した。彼は大きく口を開けて舌を出し、天を仰いでのどから声を絞り出した。苦しくて呻いているようにも、歓喜のあまり発狂しているようにも見えた。彼は両手で拳を作り、胸に強くあてた。首筋に血管が浮かんでいる。甲高く響く声は空気を震わせ、川の表面を波立たせた。雲が割れて満月が覗く、光に反射する野々山の髪は真っ白だった。

「ツゴコワー、キッキキキキ、キリキャポ！」
　僕は声が出ない、忘れようとしたあの日の夜が蘇った。

　兄が死んだ半年後、確かめたいことがあって小さな懐中電灯を手に、真夜中に家を飛び出した。幸運なことにその日、「ののやま」に「ののの」の姿がなかった。連日の猛暑にもかかわらず、白い本の山はとても清潔で冷たい印象があった。フェンスの上に立って恐る恐る飛び下りると、「ののやま」はクッション代わりになって柔らかく僕を受け止めた。辺りに人気がないことを確認してから、懐中電灯を点けた。本は日灼けして茶色く変色し、厚紙の表紙は反り返ったり、破れたりしていた。どれも古びていて遠目で見るよりもずっと汚れていた。腰をかがめ、そのうちの一冊を取ろうとした。本はそれぞれが溶けかかってくっついていたから、簡単には剝がれなかった。その状態のままでページを捲ってみたが、中には何も書かれていなかった。

　懐中電灯を脇に挟み、一冊の本を両手に摑み、思いきり引き剝がした。その下にあった本は真新しく見えた。その本も剝がし、次々に手をかけた。本の山の内部で音がした。「ののの」かもしれないと思い、動きを止め、本と本の隙間の向こう、暗闇を凝視した。影が揺れ、何かが動いている。懐中電灯の明かりは奥まで届かないが、「ののの」のような大きなものではないようだ。乾いた本と本を擦り合わせている音。「なんだこれ」と声を出した途端、音が全くしなくなった。もっと顔を近付けた。額から汗が落ちた。

暗闇の奥からもの凄い速さで黒い影が一直線に上がって来た。思わず悲鳴を上げ、仰け反って懐中電灯を放り投げてしまった。足先から上がって来たそれは一気に僕を覆い尽くそうとした。黒い影を無我夢中で叩き、払い除け、足場の悪い「ののやま」の上を全速力で走った。フェンスを越え、地面に向かってジャンプした。足の裏が痺れ、ひざが痛くて倒れ込みそうになったが、どうにか持ちこたえた。震えながら振り返った。

満月を背景にして「ののやま」の頂上に「ののの」がいた。「ののの」は首を伸ばし、夜空を抱え込むようにして羽を広げ、甲高い声で鳴いた。月明かりに照らされ、普段は隠れているその首元に赤い模様の線が走っているのが見えた。

家までがむしゃらに逃げた。大きく息を吐いて自分の手のひらを見た。少し大きめの蟻が何匹か潰れ、貼り付いていた。急いで両手を擦って落とした。その跡は痺れるような痛みがあり、しばらく治らなかった。それ以来二度と「ののやま」には登らなかったし、「ののの」の鳴き声を聞くこともなかった。

★

何一つ良いことはなかった。この夏が終わる頃には全部の金を使い果たして静かに消えたかった。大した金額じゃないから、それほど難しいことではないだろう。どこかの歩道橋から国道に向かって全額ばら撒けば、それでもニュースの一つにはなるはずだ。でも別にそういうことがしたい訳ではない。

蚊に刺された指先が痒いことはわかる。窓の外で聞こえる車のクラクションに意識を集中することもできる。ベランダで遊ぶスズメを可愛いと思う感受性も備えている。思いきり両腕を突き上げ、凝り固まった脇腹の筋を伸ばし、深呼吸する。これが自分の身体だと認識して、生きていることは素晴らしいと呟くこともできる。

この部屋にいるのは自分一人きりだ。時間を忘れ、誰かと電話でたくさん話がしたい。お互いの年齢をクイズにして、自分が相手の年齢を答える時はピタリと言い当てたい。ついでに相手の兄弟姉妹の構成や小学校の頃の夢も当てて、予言者だねって尊敬されたい。でも全く外れてしまって、所詮はインチキ予言者だねってバカにされるのもいい。

時々家のドアがノックされ、チャイムが鳴るけれど、絶対に出ない。荷物やプレゼントを送ってくる人はいないはずだから、勧誘の類いに決まっている。どうして何かを奪おうとする人ばかりで、何かを与えてくれる人は訪れないのだろう。現金が欲しいとか、従順な女性が欲しいとか、悩みのない世界が欲しいとか、そんな贅沢を想像してはいないのに、それでも何も訪れない。

家の電話にも出ない。化粧品やダイエット食品を買う気はないし、通信教育を受けるつもりもない。本当にそんな電話ばかりなのかどうかはわからないけれど、きっとそうに違いないと思っている。だって相手が本気で心配して何かを施そうとしているのならば、どうにかしてこの場所を探し出し、駆けつけてくれるはずだからだ。そしてドアをノックして何の反応もなければ、直筆の手紙をポストにそっと忍ばせ、自分は他の訪問者とは全く種類が違うのだということを証明してくれるはずだ。でもそんな手紙は見たことがない。ポストに乱雑に突っ込まれるチラシには、宅配用のピザや寿司の写真が載っているだけだ。

ポストに一定量のチラシが溜まったら、スーパーマーケットの透明なビニール袋に入れて捨てる。チラシだけが満杯に入ったビニール袋の見た目はかさ張るが、やたらと軽い。投げたくなる。でも投げない。勢い良く振り回して投げるふりだけして、最後はそっとゴミ捨て場に置く。道路の真ん中にカラスがいて、こちらをうかがっている。カラスは全身が真っ黒だ。ずっと昔に見たアニメか絵本の挿し絵の影響だろうか、カラスはくちばしだけが黄色いイメージがあったが、それは間違いだった。

先入観や思い込みに捕らわれずにしっかり本物を見るというのはとても大切なことだと思いながら、「自分が今出したゴミに食べ物はありませんよ」という気楽な雰囲気を演出し、カラスにゴミの中身を暗に伝えようとした。それでもカラスはゴミに近寄ってくる。その真っ黒なくちばしを恐る恐る伸ばし、チラシの中のピザの写真を一応は突ついてみるのだろうか。そんな姿をいじらしくて可愛いと思う感受性もまだ、残っている。

その夜はちっとも眠れなかった。台風が来ていて、外がうるさかった。強風が窓を揺らし、大粒の雨が窓を叩いた。こうやって一方的な暴力にさらされ続けると、今すぐに全てを投げ出して相手に立ち向かいたい正義感が湧き起こる。

でもこの台風の騒がしさのせいで眠れない人たちが他にもいるとして、その人たちのためにも一晩中ずっと台風と戦った人がいたと知ったとして、それを正義だと認めてくれるだろうか。そもそも台風とどうやって戦えばいいのかわからないし、万一何らかの方法で勝利したところでそれを証明するのは難しそうだし、結局台風に何のダメージも与えることができずに敗北した場合、その試みや努力すら誰も誉めてくれないだろうと思ったら、気がしょげた。気がしょげたら水みたいな洟が出た。洟をかんだら顔の辺りがすっきりした。枕を抱え、身体を丸めて眠りに落ちた。

朝になったら台風は過ぎ去っていた。寝不足の頭を抱え、カーテンの隙間から外を見上げた。雲のない空がその形に切り取られていた。枕元の電話が鳴らなければ、また眠っていたはずだった。二度寝の心地よさを邪魔されることに腹を立てながら、思わず電話に出てしまった。

「おはようございます。お休みのところを大変申し訳ございません」

電話の向こうで女性が謝った。挨拶をしてすぐに謝るなんて卑怯だと思った。こんなやり方は、最初に迷惑をかけたもの勝ちって感じがする。益々腹が立つけれど、寝ぼけていて言葉が出ない。

「小我《こが》さんのお宅で間違いないですよね?」と女性が確認した。「小我ケンジさんはご在宅でしょうか?」

まだ黙っていた。何か一つでも気の利いた返答をして、相手を驚かせてやりたかった。

「こちらは二十五歳前後の独身の男性に限ってお電話させて頂いております。小我ケンジさんですか? もしも〜し」

「残念です」と答えた。「僕は女です」と嘘を言って電話を切った。

トイレに行って手を洗い、部屋の1ドアの冷蔵庫から二リットルの水が入ったペットボトルを取り出し、直接口をつけて飲む。わざと少しだけこぼして胸元を濡らす。身体が冷えて気持ちが良い。電話に視線を送った。先ほどの女性からもう一度かかってくるのではないかと思ったが、結局かかってこなかった。

「もしも〜し」という甲高い声が耳に残っていた。山の頂上から大きく呼びかけるような調子だった。巨大なナップザックを背負い、ニットキャップを被り、ゴアテックスの上着を羽織り、厚手の靴下にズボンの裾を押し込み、岩場の出っ張りにトレッキングシューズを乗せる。その時、ありふれた日常にはない解放感が女性の身体を満たすのだろう。

「もしも〜し」

次に電話がかかってきても、今度こそは絶対にドキドキするものかと誓った。

気分を変えるためにコンポにCDを入れた。ヴェルヴェット・アンダーグラウンドのサンデー・モーニング。チェレスタの響きで始まる静かな曲。ここしばらく曜日を意識していなかったが、今日が日曜日だったことに気づき、そのタイミングの良い選曲が嬉しくて軽く踊った。左右にステップを踏みながら、「お休みのところ」と先ほどの女性が言ったのは、日曜日のことを差していたのかもしれないと改めて気付いた。ふいに踊るのを止めた。もう少し話せば、それがわかったのかもしれない。


一度電話に出てしまってからさらに頻繁に電話が鳴るようになった気がした。

「ねえ、私のこと覚えていますか?」

親しげに話しかけてくる声はこの前とは別の女性だった。とても明るい調子で話し、どこにも陰がなかった。僕は低い声で返した。

「久しぶり。あれから十年になるかな」一度言葉を切った。「兄さんと父さんが死んだ後に僕を捨てた、人でなしの僕の母さんだね」

しばらくの沈黙、電話は無言で切れた。

営業の電話をきちんとした会話に発展させるのはとても難しかった。こちらを安心させ、心を開かせようとしてか、相手は色々尋ねてはくるのだが、まともに答える気にはならなかった。向こうの帰結点は明確で、彼女たちの質問はそこに導くための意図的な回り道だと気づいていたし、実際その態度は露骨だった。ただ、一方的に電話を切られるのはあまり良い気分ではなかった。少し工夫が必要だと思った。

電話に出た途端、酔っぱらったふりをして相手の話に相槌を打った。相手が何を言っても「朝から酔っぱらっていて何も覚えていません」とか細い声を出した。相手は軽蔑した態度をとり、人生諦めたら終わりだよ、しっかりやれよと声をかけてくる。

「頑張ります。明日から頑張ります」

相手が電話を切る。でもこれでは何の発展もないと反省する。

散歩を兼ね、少し遠目のスーパーマーケットに足を運ぶ。道々にある風景や事物に意味を乗せようとする思考が勝手に働く。黒い大型犬は幸せの象徴、荷物のない小型トラックは哀しみの表現、薄雲の裏で白くにじむ太陽は自分の本心、痴漢を警戒する看板「大声で　助けを呼ぼう　誰かいる」の標語は自分への戒め。

アスファルトに貼り付いていたレシートを拾う。一昨日の深夜三時すぎにコンビニエンスストアで弁当を二つ買っている。から揚げ弁当と焼肉弁当、それに緑茶が一本、青年雑誌が一冊。なんだか、こういう買い方を青春と呼ぶのかもしれないと思った。これを捨てた人の素性も顔も性別も年齢も全然知らないけれど、その人の立ち振るまいや気分をイメージしてみる。

空腹で、くたびれて、やけになって、勢いで、弁当を二つ買う。僕は首を振る。違うかもしれない。いつも通り、冷静に、的確に、明日に備え、買う。また首を振る。それ以上考えることを止める。レシートを丸めて手の中で潰し、ブラックジーンズの前ポケットに押し込み、少し早足になった。

スーパーマーケットのお菓子売場のチョコレートの棚にサバの切り身のパックが置いてあった。本物だと思えなくて、手にとって観察する。臭いを嗅ぎ、ラップの上から軽く指で押し、本物だと認識する。その瞬間、自分の思考の手順を疑う。本当に手に取る前から、それを本物だと認識できていなかったのかと考える。どの段階で本当は本当に気づいていたのかと自分自身に問いかけながら、鮮魚売場に戻しに行った。

家に帰るとまた電話が鳴った。今回は珍しく単刀直入な営業の電話で、駅前のワンルームマンションを資産としてご購入されませんか？　といきなり言われた。

「貯金の使い方を消去法で考えたとしても、その選択肢は残りません」と答えた。回りくどい言い方ではあったが、はっきり断ったつもりだった。

「なるほど、それって数独の考え方ですね」と、相手がいきなり饒舌になった。

「小我さんは数独ってご存じですか？　四角の表の中に八十一の升目があって、一から九の数字を埋めていく遊びです。縦や横などに同じ数字が並ばないように気をつけながら、数字を書き込んでいきます。その遊びの解き方の一つに、その升目に入る数字をただ探すのではなく、その升目に絶対に入らない数字を一つ一つ排除して、最終的にそこに入るべき数字を導き出すというテクニックがあるんです」

相手はつばを飲み込み、のどを鳴らした。

「小我さんはそこまで考えていらっしゃるということですよね？」

「今あなたが何を言ったのか僕にはちっともわかりません。強いて言うなら、『人間の欲望の数は九つだけではないと思います』ということぐらいです」

「わかってないとわかっているって、実際は曖昧ですよね？」

　相手は軽薄な口調を止めなかった。

「それこそ何の話ですか」

「小我さんはそういう時ってありませんか？　レストランでメニューを広げながら本当は何が食べたいのか決まっている。それなのになぜか選んでいるふりをしてしまう」

　相手はそこで大笑いした。

「デートの相手に対して見栄を張っているとか、こなれた感じを演出するための芝居とか、そういった話ではもちろんないです。その手のわかりやすい行動パターンではなくて、もっと深い部分と言いますか、心の動きとでも言いましょうか」

「結局何が言いたいんですか？」

「私の言いたいことを知ってどうするおつもりですか？　答えは最初に申し上げましたよ。私の営業成績のために駅前のワンルームマンションをぜひとも買って欲しい」

「そうでしたね。忘れていました」

「どうですか？　お宅に一度伺ってもよろしいですか？　資料をお見せしたいのです」

「絶対に来ないで下さい」僕は強く拒絶して言葉を続けた。「よく聞いて下さい。よく見て下さい。スーパーマーケットのお菓子の棚の上にサバの切り身が乗っています」

「え？　今、何とおっしゃいました？」

僕は電話を切り、大きく息を吐いた。

住居として使用している二階から階段で下に降りる。夕食にマーボー豆腐を作ろうと、木綿豆腐を茹でるために鍋を火にかけた。かつて中華料理屋の店内だったカウンターにいつものように腰かけ、脇に積んである古い漫画雑誌を手に取った。もう何度も目にした四コマ漫画を今日も追っている。

ネコに捕まりそうになったねずみが慌てて隠れたのはゴルフのカップの穴。ねずみが怯えながら顔を出すと、ゴルフボールが転がってきて前歯に当る。穴の底でねずみは痛みに堪えながら、あれがボールで良かった、ネコだったら痛みもなくとっくに死んでいたと呟く。ねずみは安堵の気持ちを人間に伝えようとして穴を飛び出すが、カップ・インを邪魔されたゴルファーは怒り、ねずみを踏みつけてしまう。

潰されたねずみのしっぽがゴルファーの靴の下からはみ出し、S字の形で描かれている。ゴルフのグリーンは芝で柔らかく、踏みつけられたぐらいでは死なないのかもしれない。でもゴルフシューズには鋭利なピンがいくつも装着されているはずで、それが致命傷になってしまうだろう。

鍋のフタが騒ぎだした。漫画雑誌をそのままにして、厨房に行き、料理を始める。僕は長ネギを刻むのが好きだ。縦に切れ目を入れ、一気に切り刻んでいく。最初に包丁を入れれば、後は身体が勝手に動いていく。

出来上がったマーボー豆腐をご飯に盛り、マーボー丼にしてカウンターで食べる。漫画雑誌を適当にめくっていくと、巻末のページで手が止まった。この雑誌に載っている漫画なら全部を何度も読んでいたが、このページは初めて目にした気がした。レンゲを持ったままわかめスープの入ったマグカップを取り上げ、口をつける。

数独。昼間の電話で聞いた言葉を思い出した。もちろんその存在は知っていたが、この表を意識して見たのは初めてだった。そこには既にボールペンで書き込みがあり、表は完成してしまっていた。

別の漫画雑誌にも手を伸ばした。巻末を見ると果たして数独があり、そこにもエンピツで書き込みがあった。ページの空白部分には思考した痕跡があり、ランダムに書かれた数字には斜線が引かれて消してあったり、丸がついていた。マーボー丼を食べ終えてなお、あらかじめ印刷されたゴシック体の数字と、誰かが書き込んだ癖のある筆跡の数字を交互に見比べた。

ドンブリとマグカップを洗っていたら二階で電話が鳴った。水に浸していた中華鍋に一度目を遣って少しだけ迷った後、二階に上がった。間に合わなければ間に合わないで構わなかったが、間に合ってしまった。

「小我ケンジさんのお宅ですか？」

抑揚のない女性の声だ。その質問にはいつも通り返事をしなかった。

「小我さんはゴルフをやられますか？　もしくは、ゴルフをはじめてみたいなんて考えることはありませんか？」

「この場合のゴルフって、色々な意味ですよね？」と質問した。

「いえ、一つです。ゴルフはゴルフです」と相手は冷静に答えた。

「そう見せかけて」

「ゴルフです」

「ネコとねずみの話」

「いえ、ゴルフです」

「そして人間と感情の話」

「違います、ゴルフです」

「かたくなですね」

「そうでもありませんよ。ところで、本題のゴルフの話に戻ってよろしいですか？」

「構いません」

受話器を反対の手に持ち替えた。

「ゴルフの起源はご存じですか？」

「そこからはじまるんですか?」

「そうです。ゴルフはスコットランドからはじまります」

「今言った『そこ』って、スコットランドのことではないんですが」

「だったらどこですか?」

「あなたが今いる場所はどこですか? 『そこ』はそこでいいです」

「ここは原宿にあるオフィスです」

「なるほど。『そこ』からはじまっているんですね?」

「すいません。ゴルフの話に戻っても構いませんか?」

相手はしばらく黙ってしまった。

「あの、こちらの勝手で大変申し訳ないんですが、先ほどからあまり話が進んでいませんよね?」

「そうかもしれません」

「一度二人で会って、直接お話をさせていただきたいのですが」

「いいですよ」

「重ねて申し訳ないんですが、原宿までお越しいただけませんか?」

「構いませんよ」

「本日で大丈夫ですか?」

「ええ」

「本当に来ていただけますか？」

「本当に行きます」

それでは待ち合わせ場所を決めましょうと相手は言った。

「山手線の原宿駅、表参道口の改札を出ると小さな売店があって、その前にＮＨＫの番組宣伝の広告看板があります。そこに午後三時でいかがでしょうか？」

「了解しました」

「ではお待ちしております。私、小我ケンジさんにお会いするのがとても楽しみです」

「僕も楽しみです。そういえば、あなたのお名前を忘れてしまいました」

「私の名前は山田静子です。目印に英字新聞を読んでいますので声をかけて下さい」

「了解しました。僕は目印に歯ブラシを持っていきます」

ありがとうございます、それではよろしくお願いします、絶対来て下さいよと最後に念を押され、電話が切れた。僕はしばらく受話器を見つめた後、あごに手をやってしばらく考える格好をした。Ｔシャツを脱ぎ捨て、裸の上半身を叩きながら風呂場に向かった。

営業の電話に出て、その相手の女性と待ち合わせをしたのは初めてではなかった。もう何度か試していたから緊張することはなかったが、相手のペースに乗ってしまうとどこかの事務所に連れて行かれ、怖い男の人が何人も出て来て必要のない指輪や高級な布団を買わされるはめになるだろうと知っていたから、油断はしていなかった。

初めて出かけたのは一ヶ月ほど前だった。湿気の多い曇りの日だった。チノパンツにアイロンをかけ、真新しいシャツを選び、洗剤で洗ったコンバースを履き、電車に乗った。小田急線の新宿駅の西口、横浜銀行のATM前の待ち合わせ場所にいた女性はタイトな白いシャツを着ていて、胸元を開けていた。カバンを持つ両腕を前で組んでいる。大きな胸を強調していることを悟られないようにしている態で、強調している。前髪が揃っていて、全体を栗色に染めている。少し長すぎる付けまつ毛は重力に対する反抗だろうか、天に向かって大きく反り返っている。

「こんにちは。初めまして」と女性が頭を下げた。「こんなところで立ち話も何ですから、私の知っている店に行きましょう」と誘ってくる。

僕はその言葉を遮り、「今はちょっとお金がないので、先に銀行にお金を下ろしに行きたいのですが」と断る。「少し歩くことになりますが許して下さい。コンビニで下ろすと手数料がかかるのが嫌なんです」

女性は一瞬だけ怯えたような表情を浮かべるがすぐに笑顔になり、ちゃんとついてくる。

「暑いですね」と僕が言う。

「そうですね」と相手が答える。

「のどが渇きませんか？」

「そうですね」

僕は手近にあるチェーン店のコーヒーショップに入る。

「すいません。今は全く手持ちがないんです」と情けない声を出し、後で必ず返しますからと謝罪し、とりあえず相手に出してもらう。アイスコーヒーが二つ乗ったトレーは僕が持つ。二階席への階段は相手が先に上がる。短いスカートから白く細い足が伸びている。僕は窓際の席を選ぶ。テーブルにトレーを置き、アイスコーヒーには一切手をつけず、一言もしゃべらないで窓の外を見ている。

アイスコーヒーの入ったグラスが結露し、その下に敷いてある紙ナプキンに大きな染みができる。相手は落ち着きをなくしはじめ、自分の分のアイスコーヒーを一気に飲み干す。

「のどが渇いていないようでしたら、早く銀行に行きましょう」

僕は困惑した顔を浮かべて首筋をなでた。

「本当は僕、お金が全然ないんです」

少し前屈みになって相手に顔を寄せる。

「それで相談ですが、僕が今着ているシャツを買ってくれませんか?」

「何を言ってるんですか」と相手は態度を豹変させた。僕は弱りきった溜め息を吐く。「そうですか。残念です」と呟き、「帰ります」と席を立った。

その次は三週間前のこと。恵比寿駅で待ち合わせをして二人で路地を抜け、女性に案内されたレンガ造りの四階建てのビルを見上げた。「このビルですか」と暗い声を出す。「僕はこの世で風水しか信じていないんですけど、茶色の建物に今日は絶対に入ったら駄目だって本に書いてあったので帰ります」と、一人で来た道を戻った。

二週間前には、下北沢の地下にある薄暗いギャラリーに案内され、イルカや熱帯魚などの絵をたくさん見せられた。「こういうのが一枚あるだけで部屋が一変します。人生も変わりますよ」と薦められたが、「この部屋にある全部の絵を僕は既に持っています」と断った。

前週に京急線の蒲田駅で出会った女性は、僕が何を言っても一切取り合ってくれず、仲間を呼ぼうとして電話をかけた。その時は、「すいません、あなたの肩に血まみれの赤ん坊が見えます。恐くて仕方がないので帰ります」と急いで走り去った。

僕は洗面器にお湯を溜め、鏡の中の自分を睨んだ。今度の女性とは少しは話が弾むだろうか。表参道口の改札以外に一体いくつ改札があるのだろうか、迷わないで辿り着けるだろうかと心配だった。

僕は入念にシェービングクリームを顔中に塗り、ヒゲ剃りを濡らしてから、丁寧に不精ヒゲを剃った。

明治神宮には「教育勅語」が置いてある。お守りなどが並んでいる売店の一角に明治神宮の起源などが書かれた簡単な冊子と一緒に、白く小さな紙がある。手に取ると蛇腹状になっていて、全部広げると一枚の大きな横長の紙だとわかる。前半は昔の言葉で、後半は今の言葉で「教育勅語」は書かれている。

そのことを教えてくれたのは、原宿で待ち合わせをした例の電話の女性だった。背が低く痩せていて、姿勢の良い人だった。彼女は僕が会った今までの女性とは違い、胸元の開いたタイトなシャツを着ていなかった。寧ろ少しサイズが大きいシャツで、一番上のボタンまできちんと閉めていた。彼女は自分の体型が好きではないのかもしれない。

山手線の原宿駅に着き、表参道口の改札を出た。彼女は律儀に英字新聞を広げて読んでいたから、遠目にもとても目立った。僕と同じくらいの年に見えた。僕は歯ブラシを掲げ、会釈した。先に口を開いたのは僕だった。

「実は女の人とデートしたことがないんです。僕にはそれなりに貯金があったのですが、使い道が全くわかっていなかったんです。今日、女の人とデートできると決まって嬉しくて、ここに来る前に思わず全額寄付してきました」

真剣な顔を作って言った。彼女は澄ました顔で何度か頷き、そういう話は別にいいですから、と素っ気無く言い返した。

「安心して下さい。別に何かを売りつけようとか、そんな風に考えていませんから」

彼女は英字新聞を折り畳み、私は海原智恵です、山田静子は偽名でこれが本名ですと、改めて自己紹介をした。

「あなたも察しているとは思いますが、誰かに何かを売りつけることが私の仕事です。私は成績が良く、給料もたくさん貰っています。でも今はそれをする気がないんです。私は成績が優秀ですから、私の動きに関して上司も大目に見てくれています。私が少し仕事を怠けたからといって、咎められるようなことはありません。というか、私が何を考えてどう動いているかなんて、彼らには興味がないんです。一ヶ月間で一定の成績さえあげれば何の問題もないんです」

彼女は英字新聞をさらに細く小さく折り畳むと、NHKの広告看板の隙間に無理矢理押し込んだ。そして「あなたの初めてのデートの相手が私だと知ってとても嬉しいです」と、感情のこもってない言い方で頭を下げた。

「すいません。さっきの話は嘘です」と僕は慌てた。

「知っていますよ」と彼女はあくびをした。口を隠すこともしなかった。

「嘘を言う。そしてネタばらしをする」

彼女は僕を見つめた。

「これでお互いにそれを済ませました。私達は対等ですね」

彼女はまたあくびをした。

「海原さんはきれいな顔立ちですね」と思わず言ってしまった。彼女があくびをする度にいつも銀歯が覗いたが、それが彼女の見た目の印象を少しもおとしめることはなかった。

「ありがとうございます。この仕事は見た目がとても重要です。相手の男性が持つ理想の女性のイメージを瞬時に感じとり、そこに自分を当てはめます。相手の頭の中で私のイメージが勝手に動きだせば、後は簡単です。彼らは何でも買ってくれます」

彼女は微笑んだ。

「彼らは私が薦めるゴルフクラブや高価な壺や高級布団に金を払う訳ではありません。私のイメージに金を払うのです」

でもそれもそろそろ限界ですと、彼女は下を向いた。

「おでこのシワが目立つような歳になりました」

「昔はシワが入らなかったんですか?」

「そうです。昔は気にならなかったんです」

「それは違うと思います」と僕は首を振った。「海原さんにとっておでこにシワが入ってしまうような出来事が、単に増えたからだと思います」

肌のハリや年齢の問題も当然あるでしょうが、きっとそういう外的な要因の方がずっと大きいのでしょうと、僕は続けた。

「そういうことを女性に言うと嫌われませんか?」

「あまり機会がないのでわかりません」

彼女は辺りを見渡し、「ここは人が多くて騒がしいので静かな場所に移動しましょう」と誘い、歩きはじめた。

　鉄道の線路を跨ぐ神宮橋を渡り、彼女は進んだ。路肩に、原色に髪を染めて派手に着飾った集団が輪になっていて、お互いの姿を携帯電話のカメラで撮りあっていた。その様子を一眼レフカメラで狙っている白人の男女がいた。明治神宮の大きな鳥居が見えた。僕は小走りをして彼女に並んだ。

「どうして僕には何かを売りつけようとしないんですか？」

　二人は鳥居を潜った。

「実際、営業の電話をはぐらかそうとしてふざける人は多いです。でも大抵その人たちには何らかの意図が見えるものです。私は瞬時に見抜き、それに自分を合わせることができるので、いつもなら気にならないのです」

　彼女はスピードを緩めなかった。

「私を馬鹿にして優越感に浸りたい。退屈だから時間をつぶしたい。隙があればいやらしい話に持ち込みたい。女を憎んでいてその恨みを晴らしたい。自分の心情や生い立ちを告白して楽になりたい。何でもいいから得をしたい。私が美人なのかブスなのか、顔を見てみたい」

　海原さんは砂利を蹴った。良く磨かれた黒いエナメルのハイヒールに白い粉がついた。

「あらゆる欲望は簡単にひっくり返るものです。優越感は劣等感の裏返しであり、退屈を嫌悪する気持ちは充実感を得たいという渇望であり、いやらしい話をするのは女性への軽蔑に見えて必ず怯えが潜んでいるものです。全部が全部、そんな感じです。こっちは、彼らの裏側にある欲望を満たす素振りを見せればいいんです。軽くそこに触れ、こちらにはその準備があるといった態度をとれば十分なのです。彼らは私に会いたがり、彼らは私の薦めるものを買うのです」

彼女は髪を耳にかけた。彼女のおでこにシワが走っていた。それでも彼女は十分に美しかった。

「でもあなたの言葉にはそれが見えなかった。ゴルフの話を私がしようとしていた時、『ネコとねずみの話ですか』、『人間と感情の話ですか』とあなたは話をずらしたけれど、その意図も、その裏側にあるはずのあなたの欲望も全く見えなかった」

彼女はそこでようやく立ち止まった。

「仕事上『会いたい』という言葉は今までに何度も使いましたが、本当に私が会いたいと思ったのはあなたが初めてです」

僕も海原さんに合わせて立ち止まった。彼女の背後に広がる森を見た。夏の日射しがくっきりとした陰影を作り出している。立ち止まったせいか、汗が吹き出てきた。

「海原さんの勘違いじゃないですか」と僕は言った。彼女はそれには答えずに僕を下から覗き込み、「あなたは『教育勅語』を知っていますか?」と尋ねた。「知りません」と答えると、「貰いにいきましょう」と再び歩き始めた。二人が今歩いている道を参道と呼ぶのだろうか。

「神社」と「神宮」という言葉の違いすら知らない僕には、参拝する前に手を洗う儀式の由来もわからなかった。

彼女はハンカチを口にくわえてから柄杓を手に取り、最初に左手を洗い、次に柄杓を持ち替えて右手を洗い、今度は左手に溜めた水で口をすすぎ、もう一度左手を洗い、最後は柄杓を手前に傾けて残った水で柄杓の持ち手を洗った。僕もそれを真似た。水はとても冷たくて、それだけで汗がひいた気がした。

彼女は自分の手を拭いたハンカチを僕に差し出した。縁に赤いレースがついた花柄模様だった。僕は彼女の申し出を断り、ブラックジーンズの前ポケットから自分のハンカチを取り出した。その際、ハンカチと一緒にポケットからしわくちゃの紙が落ちた。何だろうと思って広げると、弁当を二つ買った例のレシートだった。僕はもう一度、それをポケットにしまった。

門を潜ると、正面に大きな建物がある。あれが明治神宮の本殿だろう。その前面に広場があり、屋根のついた塀のような建物で周りが囲まれている。広場に敷きつめられた白い石の床が陽の光を反射して眩しい。どこかで見たことのある風景だと思ったら、毎年正月すぎに横綱がここで土俵入りする映像をニュースで見たことがあったからだと気づいた。

彼女は広場を突っ切って階段を上がり、賽銭箱のある大きな建物に入ると、財布から五円玉を取り出して投げた。頭を二度下げ、手を二度叩いて両手を合わせた。そして目を閉じて深く拝んだ。今度は彼女の真似をしなかった。一連の仕種を見守っていただけだった。

誰かが何かを願っている姿を横から眺めていると、プールに飛び込む要領でその人の願いの中に入り込めそうな気持ちになる。軽くジャンプするだけで吸い込まれ、自由に泳ぐことができる。この場所を訪れる多くの人の願いがそれぞれ異なっていて、その中を僕が自在に行き来できたら、とても楽しいだろうなと思った。

「さて」

彼女の声で我に返った。

既に顔を上げていた彼女の指の先に何種類かの冊子がささったケースがあった。携帯電話より少し小さいくらいの白い紙の表面には「教育勅語」とだけシンプルに書いてある。

「これの由来を知っていますか?」と彼女は聞いた。

「知りません」と僕は答えた。

「明治天皇が教育の普及と道徳の実践のために掲げた十二徳だという話ですが、私はそのこと自体には特に言うべきことがありませんし、政治的な背景や歴史などにもあまり興味がありません」

彼女はそう言いながら、「教育勅語」の紙を手にした。

「私が気になっているのは純粋にこの中の文章です」

彼女は蛇腹状の紙を徐々に広げた。

意味のわかりづらい古い言葉が並んだ最後に、「明治二十三年　十月　三十日」という日付けが目に入った。その隣から口語訳が始まっていた。

「ここの部分です」と言って、彼女は読みはじめた。

僕は身構えた。「教育」と「道徳」という言葉が頭に残っていた。そう言えば、ゴルフはエデュケイション・スポーツと呼ばれていると聞いたことがあると、ふいに思い出した。ゴルフの起源がスコットランドだと教えてくれた彼女は、なぜゴルフが教育的スポーツなのか教えてくれるだろうか。

彼女は指で文章を辿りながら、丁寧に読んだ。

「国民の皆さん、あなたを生み育ててくださった両親に、『お父さんお母さん、ありがとう』と、感謝しましょう。兄弟のいる人は、『一緒にしっかりやろうよ』と、仲良く励ましあいましょう。縁あって結ばれた夫婦は、『二人で助けあっていこう』と、いつまでも協力しあいましょう。学校などで交わりをもつ友達とは、『お互い、わかってるよね』と、信じあえるようになりましょう」

彼女はそこまで読んで文章の一部を省略し、後半に飛んだ。

「いま述べたようなことは、善良な日本国民として不可欠の心得であると共に、その実践に努めるならば、皆さんの祖先たちが昔から守り伝えてきた日本的な美徳を継承することにもなりましょう」

海原さんは顔を上げた。僕は訳もなく何度かうなずいたが、どこの文章が彼女にとって気になるのか、全然わからなかった。僕は彼女の言葉を待った。

彼女は軽く下唇を噛んだ。前歯に赤い口紅が付いた。

「この文章を初めて読んだのは一年ほど前です。理不尽な理由で上司に怒鳴られ、気持ちを落ち着かせるためにここに来て、なにげなくこの『教育勅語』を手に取りました」

彼女はもう一度、文章を指差した。

私が気になる文章は、友達とは「お互い、わかってるよね」と、信じあえるようになりましょう、という部分ですと言った。

「お互い、わかってるよね」と僕も口に出した。彼女を見つめた。「ねえ、僕たちはお互いにわかってるよね」と繰り返した。

「わかってるよ」と彼女は言った。

「わかってる。わかってるよ。わかってるさ」と僕はそれぞれ調子を変えて首を縦に振り、最後に「わかった」と声を上げた。

「わかったって何が?」と彼女が聞いた。僕は手を叩いた。

「お互いの何がわかったのか、わかるっていうのがどういうことなのか、これでは全然わからない」

「そう、私はそこが気になる。二人の人がいて、お互いがお互いに対して抱くイメージに少しの狂いもないような感じがこの文章にはある。そしてその確認はたったの一言、わかってるよね、で済ませてしまっている」

彼女は少し興奮したのか、声が高くなった。

「上司が私を怒鳴る。『その意味はわかってるよな』と暗に押し付けてくる。でもその意味は決して言語化され得ない。相手のイメージとこちらのイメージが必ずしも一致しているはずはないのに、『わかってるよな』の一言で全てを押し切ろうとしてくる。まるで、二人の関係においてわずかでも有利な立場にいる側が、その言葉を押し付ける権利を有しているとでもいうように」

かすかに取り乱す彼女も美しかった。僕はその美しさに対してだけ忠実であろうと心がけ、言葉を選んだ。

「その『わかってるよね』が指し示しているものが欲望の正体でしょ。そしてその欲望を利用して海原さんは誰かに必要のないものを大量に売りつけている。だからお互いさまだよ」

「お互いさまで済んでいい話？」

彼女は目を剝いた。

「済んでいい話ではない」

二人のやり取りを不審な目つきで睨む中年の男性がいた。彼は首から下げたコンパクトカメラに手をやっていた。状況次第ではシャッターを切るつもりだという脅しにも見えた。とりあえずその場から離れ、階段を降りた。広場の中央辺りで彼女は再び口を開いた。

「あなたは『わかってるよね』と私に押し付けてこなかった」彼女は忌々しげに吐き捨てた。

「一体私はどうすればいいの？」

海原さんの話が僕に対する接し方への問いなのか、彼女の生き方に対する問いなのか、区別がつかなかった。僕は顔を逸らした。しばらく無言のまま長い道を戻った。とても暑くて頭の天辺から汗が滲んだ。木陰の方が涼しいだろうと、彼女の手をとって道の端に引っ張った。彼女の手のひらも汗で濡れていた。僕はそれを気にしなかったし、彼女も嫌がったりしなかった。

「あなたは普段何をしているの？」

風のない日で、歩けば歩くほど身体が熱くなった。

「何もしていない。掃除をして買い物に行き、自分のための料理を作って寝るだけ」

「彼女は？」

「今はいない。さっきも言ったけど、女の子とまともに話す機会もない」

「女の子とつき合ったことは？」

「一度だけ。中学三年生の時に彼女ができた。しばらく交際したけれど、最近は連絡をとっていない。それ以外に女の子との思い出はない」

「私との会話はあなたの思い出になるの？」

「どこからが会話で、どこからが思い出なのか、僕にはわからない」

彼女は僕を凝視し、「思い出ってさ、すごくいい加減だよね」と吐き捨て、笑いながら僕の手をさりげなく振り払った。二人は黙った。誰かが通り過ぎる度に、砂利の鳴る音が耳に残った。僕はまた森を見た。草が揺れていた。きっと森の奥では、風が吹いているのだろう。「私の仕事が終わるまで待っていてくれませんか」と彼女は言った。「ここの隣に代々木公園があるから、そこなら時間がつぶせると思う」

彼女は職場に戻った。僕は一人で代々木公園に向かった。時計塔を過ぎ、原宿門から中に入って驚いた。全体の大きさが把握できないほど広かった。バラ園の横を通り抜け、道なりに進んだ。入口の地図で確認した噴水には、水がなかった。清掃のために水が抜かれているようだ。ヘドロをデッキブラシで擦っている何人かのつなぎ姿の男がいた。

僕は背もたれのない木のベンチに座った。隣には、黄金色をした犬の身体をスリッカーで擦っている女性がいた。犬は舌を出し、主人の顔を舐めようとして嫌がられた。芝生では、ジョギングをしていた集団が小休止の合間にストレッチをしていた。リーダー格の人が、「さあ、地球を摑むようにして」とか「大地と添い寝する感じで」とか仲間に声をかけ、身体を捻ったり、両手を振り上げたりした。その横では、まだ言葉を上手く発することのできない幼い子供が母親に向かって必死に何かを伝えようとしていた。母親は適当に相槌を打ちながら、「正しい、正しいよ、まったく」と涙声を出した。向かいにあるベンチでは、新しいスニーカーが足に合わなかったのか、靴擦れをして皮が捲れた夫のかかとに絆創膏を貼っている老婦人がいた。その後ろを通過するベビーカーを押す若い夫婦は、お互い不機嫌な顔をしていた。ベビーカーの中の赤ん坊は握ると音の出るボールを手に持ち、噛み付いて変な音を鳴らしていた。間欠的に風が吹いた。犬の毛が舞った。ベンチの足の周りを何周かして、遠くに飛ばされていった。色々な人が来て、色々なことをして、色々な方向に去った。その間ずっと僕はベンチに座り、水のない噴水を眺め、太陽の角度から今の時間を推察していた。海原さんの仕事の終わる時間になり、向こうから彼女は走って来て、僕の横に座った。

「お待たせ。面白いことは起こった？」彼女は息を切らせた。

「何もなかった。小説のようにページを読み飛ばすこともできなかった。僕はその一々を目撃しなければならなかった」

「退屈でうんざりしたの？」

「そういう意味じゃないよ」僕は居住まいを正した。「こんな時には僕の中に眠る言葉や思い出に想像が追いついてしまうんだ」

僕は水のない噴水を指さし、「今日はあれが涸れていて丁度よかった」と彼女の横顔に言った。

僕がその女の子、奥津さんとつき合うようになったのは、中学三年の夏休みの最終日に彼女から電話がかかってきたことがきっかけだった。

「この夏休みの間に海に行きたかった」と電話越しに言った彼女は、僕の前の席に座っていたショートカットの子で、陸上部の短距離ランナーだった。

　僕は一学期の最後の日を欠席した。父親の一周忌を前にようやく墓が完成し、その日に納骨式を行なう予定だったからだ。担任の先生にあらかじめ事情を説明して欠席の許可を貰っていて、通信簿なども特別に一日早く受け取っていた。

　中学三年にもなれば高校受験や就職が迫り、夏休みの宿題はほとんど皆無だったが、英語の先生だけは自らの威厳を誇示するためか、宿題を出した。一学期の終業式が終わり、それぞれの教室で担任の先生から簡単な夏休みの注意事項が語られていた時、英語の先生がプリントの束を持って教室に現われたらしい。生徒たちが一斉にブーイングを浴びせたが、彼は怯むことなくプリントをいくつか小分けにして最前列の生徒に渡し、獣を追い払う手つきで手首を前に突き出し、早く後ろに回せと声を荒らげたという。

　僕の席は教室の一番後ろだった。僕に電話をくれた奥津さんはその無人の机にプリントを乗せ、最初は知らないふりを決め込もうとしたという。でも校舎を出て帰宅する途中、アサガオの鉢植えを両手に抱える小学生の集団とすれ違った際にふいに思い直して教室に戻ったらしい。

「ケンジくんの机の上には英語の宿題のプリントがそのままになっていた」

　彼女はごく自然に僕の下の名前を口にした感じではあったが、どこか無理があった。彼女と僕には、座席が前後の関係であるということ以外の接点がなかった。彼女に「ケンジくん」と呼ばれたのは、たぶんそれが初めてだった。

「その頃には教室に誰も残っていなくて、他の誰かに託す訳にもいかなくなった。私は結局、ケンジくんのプリントを自分のカバンにしまった」

彼女はそのことを、夏休みの最終日である今日まで完全に忘れていたと話した。

「何の慰めにもならないと思うけど、私もその宿題をやっていないから安心して」と笑い、彼女は話題を変えた。

本当は今日、一人で海に行くつもりだった。この夏休み中に絶対に行こうと思いながら、結局行かなかった。泳いだりしなくてもいい、ただ海が見たかった。でも午後から雨の確率が八十パーセントの予報だし、宿題も残っているから、諦めることにした。だから今日は予定がない。このプリントをケンジくんに渡すこと以外は。

「そういう訳で予定はないんだけど、取りに来てくれるとありがたいな」

僕は奥津さんの話を聞きながら、プリントの礼を伝えた後、だったら一緒に海に行こうよと言った。その後に近くの喫茶店でコーラでも飲みながら宿題を終わらせよう。

彼女は驚いた声を漏らして少し黙り、「雨が降るかもしれないし、そういうつもりもなかったし」と小声になった。

「雨なんて関係ないよ」と僕は言った。「そんなことが予定を変更する理由になんてならないよ」

彼女は一方的な僕の物言いに戸惑っているようだった。

「こんな話になるなら電話しなきゃよかった」

「だったら僕は一人で海に行くよ」

「どうしてあなたが?」

「僕もこの夏は海には一度も行かなかった。だから行くって決めた。その帰りに受け取りに行くよ。夕方は平気?」

「ちなみにどこの海?」

鎌倉の海に行くと僕は答え、適当なタイミングで連絡すると、電話を切ろうとした。

「ちょっと待って」と彼女が慌てた。「雨が降るかもよ」

「降ってもいい」僕は断言して言葉を続けた。「そもそもそういう問題じゃない。海が見たいから海に行くんだ。それだけだよ」

受話器の向こうから溜め息が聞こえた。

「わかった。連絡を待っているね」と奥津さんは電話を切った。

朝から曇天だった空は、一向に晴れる気配がなかった。電車に乗って鎌倉駅に向かう間に、案の定、雨が降って来た。どしゃぶりだった。窓の外の景色は煙ってほとんど見えなくなった。

乾いたビニール傘を杖代わりにして退屈そうに立っている男の人がいた。ストライプのワイシャツはズボンからはみ出ていて、紺色のネクタイはねじれていた。彼は大袈裟な舌打ちをした。

駅に停まる度に湿気の多い空気が流れ込み、クーラーの冷気と混ざって車内がますます冷えるようだった。ホームの屋根と車体の間にできた隙間に、雨が落ちてくる。乗る人も降りる人も首を縮め、雨を避けようとして飛び跳ねた。空いていた座席の真ん中に座った中年の女性は、カバンからハンカチを取り出し、自分の濡れた首筋を拭いた。もっと雨が降ればいいと僕は思った。ここにいる人たちに恨みがある訳ではない。純粋に個人的な感情だった。僕はこれから海に行くのだと、短パンの裾を強く摘んだ。

鎌倉駅に着いて改札を出ると、空を見上げて立ち往生している人がたくさんいた。大きな荷物を持った人や、浴衣姿の人や、肩にタオルを乗せた薄着の女の人もいた。駅の床が濡れていて、僕のビーチサンダルはとても滑りやすかった。

「本当に来ちゃったの？」

人込みを抜け、向こうから小走りで駆け寄ってきた女の子に声をかけられた。奥津さんだった。

「行くって言ったでしょ」

「そういうことじゃないよ」

駅が混雑していることに苛々している人が、立ち話をする二人にぶつかった。辺りに視線を送る奥津さんは、忙しなく傘を開き、駅の外に出ようとした。僕もその下に潜り込む。

「自分の傘を持って来てないの？」

「うん」と僕は答えた。嘘だった。折り畳み傘がリュックサックに入っていた。

「わかった。だったらこれ」と彼女は僕に傘を渡し、自分のカバンを身体の前に抱え込んだ。

「さあ行くよ」二人で呼吸を合わせ、雨の中に飛び出した。彼女の赤い傘を大粒の雨が叩く。

「小町通りの入口にホットケーキ屋がある」と彼女が言った。マクドナルドのレジには長い行列が出来ていて、とても入れそうになかった。

ホットケーキ屋も混雑していたが、タイミング良く複数の客が会計を済ませ、席が空いた。焼き上がりに三十分かかるという看板商品のホットケーキは二段重ねで量が多いから「お二人で分け合った方がよろしいでしょう」と店員に助言され、その通りに注文した。

奥津さんはコーヒーを追加した。僕はメニューを開くのが嫌で、普段はコーヒーを全然飲まないのに、彼女と同じものにした。

「ここは文豪が愛した店なんだよ」と彼女は言った。使い込まれた茶色の革のソファーと古めかしい白いテーブルの席だった。観光客が相手ではなく、地元の人が利用するような気楽な店に思えた。僕は店内を見回し、何かを考えているふりをした。

僕には固い決意があった。雨の話題には触れないと決めていた。そしてできれば、彼女にもそうして欲しかった。ずっと雨は降っている、益々ひどくなっている、その当たり前のことを、絶対に口にしたくない。

「海岸は人が少ないかな」と彼女が言った。その後に「雨が降っているから」と続けるのではないかと察して、僕はすぐに言葉を吐き出した。

「いないよ。きっと誰もいないよ」と早口になった。人の出入りの際に店のドアが開き、雨の音が大きく聞こえた。彼女は溜め息をついたが、雨のことには触れなかった。

「文豪って誰のこと？」と僕は尋ねた。

「知らない。文豪は文豪だよ」と彼女は答え、二人はまた黙ってしまった。

どうして奥津さんが自分より先に鎌倉駅にいたのかということや、僕が来なかったらどうするつもりだったのかという質問もしたくなかった。僕はグラスの水を飲んで、彼女の指先に視線を注いだ。彼女はとりとめなく指を絡ませ、手持ち無沙汰にしている。

「英語のプリントは？」

「後で」彼女は自分のカバンをちらりと見た。

「問題は易しい？　簡単にできそう？」

「どうだろう。簡単とか難しいとかって、人それぞれ違うだろうし」

奥津さんは顔を上げた。

「たとえば私の場合、国語は得意だけど英語はいまいちだし、短距離は速いけど長距離はまるで駄目だし、バタフライはできるけど背泳ぎはできないし、お父さんは好きだけどお母さんは嫌いだし、トマトは大好物だけどトマトジュースは苦手だし」

彼女のチェックの半袖シャツに雨の染みが出来ていた。一つの傘に二人で入ったせいで、右肩が外にはみ出してしまったのだ。彼女は自分の濡れた袖口を触りながら、でもホットケーキは好きだし、と最後に呟いた。

　彼女は自分の話に少しうろたえたのか、辺りに視線を泳がせた。彼女の手の届く所にスチール製の本棚があり、雑誌や文庫本が置いてあった。その中から文庫本を取って適当にめくりはじめた。

「古い本って甘くないチョコレートの匂いがするよね」

　苦いチョコレートではなく、甘くないチョコレートと彼女は確かに言った。

「本ってさ、作者の都合や想いもあるんだろうけれど、退屈して読み飛ばしたくなる箇所も出てくるよね。この前読んだ本は少年と犬の交流が丁寧に描かれていたのに、少年の担任の不倫話が途中から延々と続いて嫌な気持ちになった。私はそこをなため読みして、『犬』の文字を探した。『犬、犬、犬』って口にしながら、ページをめくって犬を探した」

　奥津さんが言った三匹目の「犬」の時に、ホットケーキが運ばれてきた。ホットケーキは確かに量が多かった。上段のホットケーキを取り皿に分けて僕に差し出し、残った下段のホットケーキに彼女はメイプルシロップをかけた。その表面に渦巻き模様が徐々に広がっていく様を、僕は眺める。

「ケンジくんって余計なことを全然言わないよね」と彼女は顔を上げた。

「うちの弟の場合だと、食事中とかに突然身もふたもないことを得意気に言って、私を不快にさせるんだけど」

「たとえばどういうこと？」

「犬の寿命は短いからどうせすぐに死ぬんだとか、パソコンのキーボードはトイレのドアノブよりもバイ菌が多いんだとか、人の顔には顔ダニが大量に住んでいるんだとか」

彼女は力なく笑った。そしてさり気なさを装うようにして外に目を向けた。窓の表面を雨の滴が流れる。

「突然こんなこと聞くのは失礼かもしれないけれど、ケンジくんのお父さんやお兄さんが亡くなったことについてケンジくんはどう思っているの？　お母さんはどうしているの？　誰かに相談している素振りもないし」彼女はフォークとナイフを手にし、ホットケーキの真ん中から切り分けた。「そういうのって疲れない？」

僕は彼女と同じように自分のホットケーキにメイプルシロップをかけ、フォークとナイフを取った。端から切り分け、一欠片を口に入れた。

「ねえ奥津さん」

僕は唐突に呼びかけた。彼女は驚いた顔で姿勢を正した。

普段は顔ダニのことなど忘れているものだが、そのことを改めて聞かされると意識してしまうものだ。僕は彼女の顔を凝視した。その表面にうごめく大量の顔ダニが見えるような気がした。僕は何も言わなかった。気詰まりな沈黙が流れた。新しく店に入って来た中年の二人組の男が、大声で雨の悪口を言っていた。彼女は体勢を崩し、肩をすぼめた。

「もうすぐ学校も終わりだね。時間が経てば全部がちゃんと懐かしくなるのかな」とナイフを動かし、「ねえケンジくん、思い出になる出来事ってどういうものか知っている？」とホットケーキの欠片を口に放り込んだ。

「全然知らない」と感情を悟られないようにできるだけ冷たく言い放った。

「思い出になるのは、自分で思い出したことがあることだけだよ」

僕は息を飲む。動揺して両手を振り上げ、彼女のグラスを倒した。割れはしなかったが、その音は店内に響き、周りの目が一斉に注がれた。

「ごめん」と僕は謝った。「ごめんね」と奥津さんも謝った。グラスから溢れた水はテーブル一杯に広がり、縁から床に垂れ、雨に濡れていた彼女の靴をさらに濡らした。

★

家の中にあるものを二つの種類に分類する。「生活」と「装飾」の二種類、「生活」が幹の部分で、「装飾」が枝葉の部分だ。僕は枝打ちをする要領で、「装飾」の部分を削ぎ落とす作業をした。他にやるべきことがなかったといえばそれまでだが、とにかく大量の物を捨てた。

住居のある二階は六畳の部屋が三つとトイレがあったが、「装飾」を切り捨てていったら、僕が寝起きをする部屋以外には物が全くなくなった。僕の「生活」とはきっと他の人の「生活」よりもずっと地味だったから、本当に最小限の物しか残らなかった。

本格的な清掃の際に大量の粗大ゴミが出たが、あいにく僕は車の免許を持っていなかった。そのことを海原さんに話すと、彼女は休みの日に電車に乗って僕の家まで来て、運転手を買って出てくれた。

彼女はラバー素材の黒い軍手をはめ、鼻歌を歌いながら庭先で花瓶を割ったり、棚を破壊したり、フォークギターを叩き折ったりしてかさ張るゴミを小さくまとめてくれた。

その後で二人で小型トラックを借りて来て粗大ゴミを詰め込んだ。公営のゴミ処理場に向かう途中、ヒッチハイクをしようとして親指を立てる女性のバックパッカーがいた。国道でそんなことをしている人を見たことがなかったから、多くの車がもの珍しそうに少しだけスピードを落とし、通過した。あの調子だと直にタクシーが止まるだろう。今すぐにでもその場を離れたいのなら、多少の金銭などの犠牲が出るのは止むを得ないはずだ。僕が帰りにここを通った時、あの女性がいなくなっていれば良いと願った。

「あの人を乗せてあげようか」と運転席の海原さんが言った。

「だってゴミ処理場に行くだけだよ」と僕は反論した。

「行き先を書いた紙を持っていなかったでしょ。だからどこでもいいんだよ」

「そうはいってもゴミ処理場は嫌がるでしょ」

「どこでもいいって気分の時は、本当にどこでもいいんだよ」

彼女は前屈みになった。クーラーの冷気が顔に当るのを嫌がってか、イラストの入った送風機の調節スイッチのつまみを捻り、足元にだけ冷気が当たるようにした。そして大きなあくびをし、「あなたがつき合っていた相手はどんな女の子なの?」と話を変えた。

「中学三年の同じクラスで前の席だった。奥津さんっていって、陸上部の短距離ランナーで、髪が短かった。でも部活動が終わってからは一生懸命に伸ばしていた」

「例えばどんな話をしたの?」

「文豪、文庫本、犬の物語」

「文豪の書いた犬の小説の文庫本の話?」

「違う。文豪も文庫本も犬の物語も、それぞれ別々の話」

彼女は呆れた顔で首を横に振った。

「赤い傘、英語の宿題、ホットケーキ」

「それもまた別々?」

「それは一つの話」

彼女はそれっきり質問をしなかった。途中で国道を逸れ、工場が立ち並ぶ一角に出た。四角い煙突が見え、その先端から僅かに煙が出ている。大量の煙が出ると苦情を言われ、全く出ていないと不審がられるがゆえの言い訳じみた煙の量に思えた。そのまま進むとゴミ処理場に着いた。黒い鉄の門を通り抜け、誘導係の指示に従ってトラックを走らせた。ゴミ収集車が三台、縦になって駐車していて、その横で手招きする男の人たちがいた。

僕が捨てようとしているものの中には、何枚かの絵画があった。イルカや熱帯魚の描かれたその絵を、背の低いゴミ処理場の係の人が興味津々に眺めていた。「こういう絵ってさ、金持ちの家に飾ってあるよね」

「全部インチキですよ」

「これも立派だけど捨てちゃうの？」と荷台に乗った大きな壺を指差した。

「それもインチキ。よかったらプレゼントします」

僕はビニール袋に入った大量の指輪を差し出した。

「これも捨てちゃうの？」

「一見良く出来ていますが、ただのガラスですよ」

ヒゲをたくわえた男が横から現われ、事務的な動作で袋を持って行った。

「ちょっと待って下さい」と背の低い男が慌てた。「本物も混ざっているかもしれないじゃないですか」

ヒゲの男は振り返りもしないで答えた。「見るだけ無駄だよ」

彼はゴミ収集車の大きく口を開けた後方部に袋を放り投げた。

「これで全部？」とヒゲの男が確認した。

「今回は」

「あそこでお金を払って下さい」と少し離れた場所にある小屋を指差した。僕は礼を言って軽トラックに乗り込んだ。

「何の話をしていたの？」と海原さんが聞いた。

「あの絵が欲しいって言われた」

彼女は大袈裟に笑って手を叩いた。「あんな絵なら私がいくらでも売りつけてあげるのに」

そして彼女は真剣な顔で僕の方を向き、とても素晴らしいアイディアのように小声で言った。

「こんな風にただ捨てるんじゃなくて、また誰かに売りつければ良かったのに」

彼女はハザードを消し、右にウインカーを出して軽トラックを動かした。

「僕が買った訳じゃない」

サイドミラーにヒゲの男が映っている。彼はまだずっとこっちを見ている。

「だったら誰が？」

軽トラックが再び停車した。僕は無言のまま降りてお金を払い、助手席に戻った後、彼女に話をした。何度も練習していたから、途中で言い淀んだり考え込んだりすることはなかった。

突然父親が事故で死に、子供一人の母子家庭になった。父親が死ぬまでは家で中華料理屋をやっていて家族全員で働いていた。一戸建ての一階が店で、二階が住居だった。父親の葬式を終えた数日後、母親はこの街を出ると宣言した。母親はとても一生懸命に働き、街の誰からも愛されていたのに、あっさり決意した。

「この街やこの店、ここに来る人たちを愛していた訳ではない。私はあの人だけを愛していて、そのために全てを捧げて働いていたのだ」母親は父親の位牌を指差した。「あの人がいない今、ここで働く理由は何一つない」

「僕はどうすればいいの?」

「私だって自分のことで手一杯だ。お前も自分のことは自分で考えなさい」

こういう時は泣けばいい気がした。こういう時のために、涙も嗚咽も存在するのだろうと思った。でも上手く泣けなかった。泣くことを意識すると泣けなくなってしまうというのは、とても理不尽だが、本当のことだ。

暗い部屋の角で背中を丸めて縮こまっている少年を見つけてしまった気持ちだ。心から泣くためには少年自身でなければならないのに、今はその少年を見つけてしまった側で、だから泣いている場合ではないのだ。少年の名前を聞いて住所を聞き出し、根気よく尋ねなくてはならない。

「何がしたいの?」と口にする。少年の肩に手を置いて、彼の気が鎮まるのを待つ。こっちだって泣きたいんだぞと何度も思う。

「店はお前にやる。好きなようにしなさい」母親は諭す口調で言った。「中学二年にもなってそんな気の弱い様子では話にならない」

「わかった」と断言した。暗がりで膝を抱えていた少年が立ち上がり、力強く言い切った。

「ここに残る」

母親は荷物をまとめはじめた。次の日には飛行機に乗って福岡の田舎に帰ってしまった。それから中学を卒業して一年半が経った後、中華料理店を一人で再開した。最初は苦戦したが、料理の腕は父親よりも上だったから、客は減るどころか増える一方だった。

手際の良さには自信があった。最小限の動きで最大限の効果をもたらす術が生まれながら身についていた。これは訓練でも何でもなかった。目に見える場面を大きな枠でとらえ、それらを一度バラバラにし、物事の優先順位を瞬時に決め、きれいに並べ直す能力に長けていたのだ。

マーボー茄子を炒め、その右腕の振りの勢いを利用して棚の皿を取り、皿を台に置く時の腰のひねりを使ってラーメンの麺が入ったザルを引き上げ、素早く左手に持ち替えて湯切りをする。その動きのままレジに移動し、客から代金を受け取る。五目焼そばを食べた客が財布を開き、ぴったり六百八十円を用意していたことはとっくに確認済みで、片手で十分だとわかっていた。右手で受け取った小銭をレジに放り込み、湯切りを終えたラーメンの麺を丼に滑らせる。その時には既に右手に新しい麺が握られていて、次の準備が整っている。

カウンターに座る女性の水が減っているとか、食事を終えたカップルはおしゃべりをしていて席を立つ気配がないとか、スポーツ新聞を読むスーツの男性の割り箸が床に落ちたとか、細々した情報にも目が届いている。

動きの合間合間に「いらっしゃいませ」や「ありがとうございました」を威勢よく叫び、孫娘と一緒の老人には笑顔を送って「大きくなったね」と声をかけ、常連客から注文が入ったら「ほーい」とおどけてみせ、お気に入りのワイドショーが観たいからテレビのチャンネルを変えてくれという要望にも対応した。

もしかしたら客の誰も、店員が一人だけだと気づいていなかったかもしれない。どれだけ繁昌しても、注文を受けることや料理が出るスピード、会計や清掃が滞るということがほとんどなかったからだ。でも自分だけはよくわかっていた。忙しければ忙しいほど、自分が一人きりだということを強く意識した。両親はもうここにいない。身体の疲れや仕事の手際の問題とは全然関係がない場所で、とても孤独だった。

誰かを雇えば良いのかもしれなかったが、人を使うということが嫌いだった。「人を使う」という言葉も嫌いだったし、それらを言い換えただけの柔らかな表現、「手伝って貰う」とか「パートナーとして頑張ってもらう」などもやっぱり苦手だった。言葉の問題ではなかった。人に命令したり、動かしたりすることができなかったし、したくなかった。

葛藤しながら一人きりで十年ほど頑張ったが、自分の気持ちにごまかしが利かなくなった。父親から引き継いだこの店を売る気はなかったから、閉めるしかなかった。誰にも理由を説明しなかったし、予告もしなかった。ある日が来て、店のシャッターを閉じたままにした。

住居部分に台所はなかったから、食事をする時は店の厨房を使用した。朝起きたら一階に降りて店の厨房に入り、シンクや蛇口を磨いたりする日課は止めなかった。食材を買い出しに行き、自分だけのために料理を作ってカウンター席で食べた。そうやって毎日を過ごした。

僕の話を海原さんは黙って聞いていた。「色々とあったんだね」と短い感想を言った。「あなたの気持ちが私にはわかる気がするよ」と彼女はうなずき、「ごめん、『わかる』って言葉を使っちゃった」と照れた。

「わかってるよ」と僕は笑った。

「私もわかってるよ」と彼女も笑った。信号は青が続いた。車線変更も右折も左折も全てがスムースだった。ヒッチハイクをしようとしていた女性はもういなくなっていた。

「話を逸らすのが本当に上手だよね。私もうっかりしていたけど」

レンタカー会社に軽トラックを返却した帰り道、海原さんは僕を見た。

「私は『あの絵や壺や指輪を誰が買ったのか』って聞いたんだよ」

僕は返事をしなかった。

「まあいいけどね。孤独な人が何でも買い漁る様を何度も目撃しているから。そんな話は聞きたくないし」と哀れむような顔をした。

「今日のお礼がしたいんだ」と僕は言った。「海原さんの食べたいものを何でも作るよ。夕食の献立をリクエストしてくれないか」

　彼女は大袈裟に首を振り「別にいいよ、そういうつもりはなかったから」とやんわり拒絶した。二人はまた黙ってしまった。彼女を送るつもりで駅の方に向かった。彼女の履き古されたスニーカーはかかとの部分が極端にすり減っていて、歩きにくそうに見えた。

「夕食の代わりといってはなんだけど、私からも頼みたいことがある」と彼女は立ち止まった。

「何でも言ってよ。海原さんが来てくれて本当に助かったんだ」

　彼女は申し訳なさそうに眉間にシワを寄せた。きっと彼女が思っている以上にそのシワは深かった。でも相変わらず美しかった。首から下の格好は仕事着の方が数段さまになっていたが、化粧や髪型も含め、首から上はこの前と同様に完璧に整っていた。

「実はね、私の家にあなたと同じような感じの兄がいる」

　彼女は視線を逸らした。向こうの角からそのお兄さんが突然現われたような怯え方に見えた。

「同じって言っちゃうと失礼になるかもしれないけど、なんていうか、その、うん」彼女は言葉を探っていた。「欲望が全然見えないっていうか、そういう人なんだけど」

　彼女は顔を上げた。

「彼ね、友達が一人もいない。中学を卒業した後は学校に通うことも仕事をすることもなく、ずっと家にいる。暴力を振るったり、奇声を発したり、突飛な行動をとるとか、そういうのは全くないんだけれど、はっきり言って何を考えているのかちっとも掴めない」

そのお兄さんが何なのと、僕は合の手を入れた。

「今度連れて来てもいい？」

「お兄さんの好きな食べ物は？」

「酢豚」と彼女は即答した。「今度の日曜日に一緒に来てもいい？」と質問した。

「酢豚は看板メニューだったからね」

僕は海原さんを駅まで送り、改札口で手を振った。僕は彼女が乗った電車が駅を出て行くまで、その場所を動かなかった。彼女が確実にいなくなったことを確認してから、帰り道に本屋に寄って酢豚のレシピが載っている本を購入した。僕は酢豚を作ったことなど一度もなかったのだ。

★

父親が残した生命保険は田舎に帰る母親と折半され、僕の手元には十分な金が残ったが、できるだけ手をつけたくなかった。父親が残した映画館の運営を続ける気など毛頭なくて、中学を卒業後にはアルバイトをいくつもやった。ビジネスホテルのフロントマン、ビル清掃員、古本屋の店員、高速道路の工事現場で車を誘導する警備員、予備校の試験監督、交通量調査員、チラシ配り、パチンコ屋の店員、そして最終的に、電話で色々なものを売りつける営業の仕事についた。薄暗いビルの一室、壁に沿って長テーブルが置かれ、パイプ椅子が並んでいる。それぞれに簡単な仕切りが設けられ、電話とメモ帳がある。朝礼は毎日三十分行われた。

「百人に電話をかけて最低三人とアポイントをとれ。そしてその三人には絶対に何かを買わせろ。優秀な営業マンは百人のうち十人とアポイントをとる。そしてその十人に対して、平均して二十万は使わせることができる」

その日に上司から渡される電話番号のリスト、僕は上から順番に電話をかける。それはどこかの中学や高校の卒業アルバムに載っている電話番号で、用紙の右上には数字と文字が殴り書きされている。

「二十四歳　オス（両足の真ん中に汚ねえものをぶら下げている連中）」

それが僕と同じ年の男のリストの場合、僕は一瞬だけ怯む。自分自身に電話をかけているような気分になる。一ページ目の中段、数字のところに二重丸がついている。

「小我ケンジ」

僕の下の名前と同じ男がいる。備考欄にはこう書いてある。

「上顧客。元中華料理屋。金持ち。何でも買う」

僕が電話をかけた時、彼は寝起きだったようで曖昧に適当な相槌を打った。この電話は録音されていて下手なことはできないから、僕は慌ただしく謝罪をし、巧みに会話を導いて相手に電話を切らせた。どんな事情があっても絶対にこちらから電話を切ってはいけない決まりになっていて、その辺りは慎重だった。僕は電話番号を語呂合わせで覚え、口の中で何度か繰り返した。その日の仕事が終わった夜、自宅から小我ケンジに電話をかけた。

彼はずっと泣いていた。こちらが何も聞かないうちから自分の境遇を語りはじめた。父親を亡くしたこと、母親に捨てられたこと、父親がやっていた中華料理屋を引き継いで一人で頑張ったが、孤独に耐え切れずに店を閉めてしまったこと、そして友達が一人もいないこと。

「お金ならたくさんある。店は結構繁昌していたんだ。何でも買う。だからぜひ遊びに来てくれ」

台風の日に僕の父親が死んだ後、僕の街には映画館がなくなった。それを惜しむ人々が細々と資金を募っていて、映画館を買い取りたいと前々から打診してきていた。映画館と併設された住居と一緒に僕は手放すことに決めた。もう帰る場所はどこにもなかった。父親と兄の遺品を含め、ほとんどの物を処分した。

猫背で手だけが異様に大きい小我ケンジは、僕の訪問を歓迎してくれた。僕は自分の生い立ちを彼に話し、お互い似た境遇であることを告げた。彼は豪華な料理でもてなしていつまでも帰らないでくれと懇願した。僕は彼の申し出を受けた。住居部分の二階で寝泊まりすることになったが、そこは様々な品物で溢れ、部屋というよりさながら物置だった。

「生きていても良いことなんて何一つない」

夜になると彼は頭を抱え込み、悲劇的な口調で繰り返した。「死にたい訳じゃない。ただ消えたいんだ。この身体が邪魔だ。死んだ途端に身体が消えるならいつ死んだって構わない。死んだ後に自分で自分の身体をどこかに葬ってしまいたい。でもそれができない。だから死ねない。つらい。生きるのがつらい」

彼はあらゆる愚痴を零したが、自暴自棄になることは決してなかった。それは彼が理性的な人間であることを示している訳ではない。彼は単に、自分を壊すほどの力を持ち合わせていなかったのだ。彼にできることは嘆くことだけだった。

「僕は一人っ子で、ずっと寂しかった。君に兄弟はいるの？」

オレンジ色の小さな明かりが部屋を照らしている。二人でふとんを並べて寝ている。小我ケンジの質問に僕は首を振るが、本当は思い出していた。兄と一緒に寝ていた幼い頃の風景を、その時に見ていた天井の模様を、会話を、枕に染み込んだ汗の匂いを、難破船の沈んだ青く穏やかな海の底を。

「明かりが点いていると眠れないんだ」と僕は言った。彼は寝たままの姿勢で手だけを伸ばした。「こうやっておくと便利だろ」と笑った。「これはクリスマスケーキの箱を包んでいたヒモなんだ。普段は家族サービスなんて絶対にしない父親が買って来たんだ。僕はあの味をずっと忘れられない」電気コードに結び付けられたヒモはかつて金色だったのだろうが、今は色褪せ、薄汚れていた。乾いた音を立てて明かりが消えた瞬間、僕はこの場面を反芻しそうになる気持ちを抑え、掛け布団を強く巻き付けて彼に背中を向けた。

その日は一日中雨が降っていた。分厚い雲が空を覆っていて、昼間でも薄暗かった。夏の熱気と湿気が小我ケンジを苛々させていた。もう今日こそ本当に限界だと彼は叫んだ。その頃の彼は食事もほとんどとらず、痩せ細って青白い顔をしていた。あぐらをかいて頭をかきむしる彼が、急に手を止めた。窓から顔を出し、小さな声で呟いた。「雨が降ると本が溶ける」と。

彼は笑みを浮かべ、僕に駆け寄った。「本が溶けるなら僕だって溶けるはず」彼は両手を広げ、天井を仰いだ。「だって僕の身体はユーカリで出来ているのだから」そして彼は唐突にユーカリについて語りはじめた。

世界の製紙パルプの約九十パーセントは木材に依存しているが、農牧地に転用するための山焼きの拡大によって森林面積が急減している。反面、開発途上国での紙需要は年々高まっており、植林の必要性は大きくなっている。そこでユーカリの登場。ユーカリは著しく生長が早い上に種類が多く、それぞれの土地の気温や降雨量、土壌などの条件に合った品種を選ぶことができ、劣悪な土地にも適応力が強く、山火事にも比較的強く、種子の採取や保存、苗の養成が容易で、幹を切っても切り株から芽が出て再生長し、再植の手間がはぶける。ユーカリの力で砂漠が森になった例もある。文句なし。素晴らしい、ユーカリ。あっぱれ。

小我ケンジは畳にかかとを擦りつけながらものすごい速さで回転した。両手で自分のTシャツを掴むと、思いきり引きちぎった。あばら骨の浮いた裸身が白く輝いている。畳の焦げる臭いが漂う。彼は破れたTシャツを頭上で振り回しながら辺りに汗を飛び散らかした。

「目を凝らして見極めろ」彼は声を張り上げた。「ここには必要なものと必要ないものが混然としている。一つ一つを手に取れ。そして捨てろ、投げろ、破壊しろ」

告白の内容とは裏腹に、声はとても明るかった。「僕は誰かを信じたかった。自らの物語に負けて、乾いた土を噛み締めたかった。そんな物語を内包する物語に酔ってアルミ缶に口をつける。これは酒ではない。水でもない。何でもない。もう既に飲み干してしまった」彼は大声で笑った。「忘れていた。思い出した。僕はユーカリだった。木材チップになって紙になり、いつかは立派な本になるんだ。そしてどこかで野晒しになって雨に溶けて消えるんだ。助かった。ああ良かった。僕は消えるんだ。ただ死ぬんじゃない。消えるんだ、消えるんだ、消えるんだ。文句なし、あっぱれ」

彼は何度も飛び跳ねる。その度に部屋にある大量の物が揺れる。壁にたてかけてあった何枚かの絵は倒れ、高く積まれた百科事典が崩れ落ち、テーブルを転がったグラスは床で砕けた。事態を静観していた僕の手にはゴルフクラブが握られている。小我ケンジが買った一流のプロが使う高級スプーンだった。その瞬間、彼の声がふいに涙声になった。

「どこに帰ろう。どの方角を目指そう。誰も待っていないけれど。この先には何もないけれど。早く帰らないといけない。そんな約束があるだけ。ただそれだけ」

近くで雷が落ちた。雨の音が一段と大きくなった気がした。部屋には蚊が飛んでいる。さっきからずっと電話も鳴っている。いつまでも回転を続ける彼には何も聞こえてはいないようだ。

僕は両手に力を込めた。息を止めてつばを飲み込む。覚悟を決め、小我ケンジに一歩、すり足で近付いた。

海原さんの兄はとても太った巨人だった。赤いネルシャツはこたつ布団のように分厚く、大きかった。それなのに彼は汗一つかいていなかった。髪もまゆ毛もヒゲも手入れがされており、清潔な佇まいだったが、海原さんが今日のために準備させたのかもしれなかった。僕よりも十歳年上の三十五歳だそうだが、彼の肌艶はとても滑らかで、陽にあたっていなかったせいか、年齢よりも数段若々しく見えた。背中から重そうなリュックサックを降ろして大きな身体を折り畳んだ。彼が頭を下げて「マアヤです、どうぞよろしく」と挨拶をすると、僕に根拠のない罪悪感が芽生えた。

海原さんとマアヤさんをかつての中華料理屋の二人掛けのテーブルに座らせ、酢豚を作ってもてなした。

「こんなのはプロの味じゃない」と彼は断言した。「最初に見た時からわかっていた。お前は偽者だろ」

彼は一口食べてそう吐き捨てた。海原さんは自分の兄が何を言ったのか理解できていないような、戸惑った表情を浮かべた。

「何回か練習したんですがやっぱり駄目でしたか。そのせいでここ数日は出来の悪い酢豚ばかり食べていました」

「何の話をしているの？」と海原さんは箸を落とした。

「僕は『小我ケンジ』ではありません。ここは彼の家ですが、今彼はここにはいません。僕はここを間借りしている『大我《おおが》ケンジ』と言います。とても良く似た名前ですが、それはただの偶然です」

　僕は彼女の前にある水の入ったグラスを指差した。

「その水の中に『憤怒』と『退屈』と『頓挫』という文字が見えます。その他には『無邪気』と『楽観』と『鮮明』もあります」

　海原さんは咄嗟に腰を浮かし、椅子を後ろに押しやると、手のひらで口を拭った。僕とマアヤさんを交互に見遣り、カバンを持ってその場を逃げ出した。それはあまりに演技じみていた。彼女は怯えた態を装い、自分の兄を僕に押し付けたのだ。今頃彼女は早足で駅に向かい、腹の底から込み上げる笑いを噛み締めていることだろう。

「彼女はとてもわかりやすい人ですね」と僕はマアヤさんに言った。

「ただの淫売だ」と彼は笑った。「目に見えるということが事物の存在の自明性を証明するのなら、肯定とはいかないまでも、ここに存在するものを受け入れられる、もしくは受け入れようとするのは自然なことだ。そうしなければ自分の存在意義も揺らぐような気がするだろうし、曖昧で不安定な心持ちで毎日を過ごすのはきっと楽ではないだろう」

彼の話を全く聞いていなかった。

「あなたが何を言っているのか、ちっともわかりません」

「意味のないことを言ったんだ」彼は水を飲んだ。「だからって何の意味もないということにはならない」

「マアヤさん、その水の中には、ほら」

僕が急いて言いかけると彼はそれを遮った。

「自分だけが特別な人間だと思うなよ」と僕を恫喝した。彼は両手をだらりとさせ、だらしなく口を開いた。

「野暮なやつはどこにでもいるものだ。人間の顔には顔ダニが大量に住み着いているとか、水の中には文字が混ざっているとか、僕の名前は小我ではなく大我ですとか」彼は両肘をテーブルに乗せ、あごに手を添えた。「どうでもいいだろ、そんなの」

彼は大袈裟に溜め息をついた。

「時間の経過だけが物事の新旧を決める訳じゃない。その基準は不平等だ。経年劣化もあれば、何かのタイミングもある。過去の自分を慰めたものではあっても現在の自分には役に立たない、そう感じられてしまう瞬間が突然訪れる。つまり、流行に限らず一瞬の内にとても古くなってしまう事物や思考も確かに存在するんだ」

「また意味のない話ですか」と僕はあくびをした。彼は諭すような口調でゆっくりと言った。

「本当にお前は、意味があるとかないとか、そんなことに気をとられているのか？」

「考えたこともありません」

「考えなくていいよ」

「そういう言い方ってすごく卑怯ですね。後付けのルールみたいだ」

マアヤさんは大笑いした。「水に溶けているものの成分。カリウム、カルシウム、マグネシウムなど」そしてもう一度水を飲んだ。今度は僕が何かを言う番だった。

「九月のある晴れた日に一日中公園のベンチに座ってみてください。どの時間帯になったらどんな虫が活動を始めるのか、どのタイミングで木々が葉を散らすのか、雲の遮り方一つでどのように太陽の光の強さや温度が変わるのかがわかるはずですから」

彼は真剣な顔つきになり、僕に向かって目を見開いた。

「お前はまだちゃんと持ちこたえているのか？」唇の端を曲げた。「話が情緒的すぎる。もしかしてお前」そして辺りを見渡した。「小我ケンジはどうした？　どこに行った？」

「二階で回転しています」

「その嘘って何だよ」と鼻で笑った後、嬉しそうに立ち上がり、興味津々といった顔で僕に歩み寄った。彼は厨房の奥にある業務用の冷蔵庫を見遣った。

「冷凍保存して毎日少しずつその肉を食べる、とかなんとか」彼は首を振った。「かんべんしてくれよ、この酢豚、本当に酢豚だったのか？」彼は声を上ずらせ、さらに饒舌になった。

妹にお前の存在を聞かされた時、お前が俺と同じ種類の人間だとすぐにピンときた。さっき初めて会った時、その直感が間違いではなかったと俺は喜んだ。今日はわざわざここまで出向いてお前に土産まで持ってきた。ほら、それだ、テーブルの下、そのリュックサックに入っている。無駄足になったか、チェッ、つまらねえ、まあいい、でもとりあえず見せてやるよ。お前が最後につくべきだった仕事、そして俺の仕事。

彼がリュックサックのチャックを開けると、中には白い本が大量にあった。「ののやま」に積まれているあの本だった。

「雨が降る度に本が溶けている。それなのに一向に本の山は消滅する気配がない。なぜだかわかるか？　答えは簡単だ。随時追加されているからだ」

ここに文字を書いていい人間は限られている。雨の日に本の山から文字が染み出すのが見えていて、あの白い鳥に宣告を受けたことがあるやつ。そういう人間は想像することができ、自分が存在しなかった場所で起こった出来事を知ることができる。

「なあだからお前は知っているんだろ？　お前の兄が死んだ場面も、父親が死んだ場面も」彼は白い本の表紙を叩いた。

「お前に見えている景色をここに書く。本は野晒しにされ、雨に文字が混ざって飲み水になる。文字は人々の身体に蓄積し、無意識の中に刷り込まれる。相対的に考えて良い出来事というのは少ない。なぜならそれらは丁寧に積み重ねて苦労してどうにかして手に入れるものだからだ。

他方、悪い出来事は多い。壊れるのは一瞬だ。だから必然的に水は汚く濁る。それが真実だ。人々の心は淀み、歪んでいく。それは必ずしも悪いことではない。そうなることで得をする立場のやつも実際には多くいるんだ」

彼は横を小走りですり抜けると、厨房に向かい、冷蔵庫を開けた。その体格に似合わない俊敏な動きだった。冷蔵庫の中には酢豚の材料以外のものが入っていなかった。

「さては埋めたな」彼は振り返り「だったら庭か」と呟いて裏口に向かった。彼を追いかけた。

ブロック塀に囲まれた庭はたいして広くはなかった。ビワや紫陽花やカエデが植えられていたが、手入れがなされていないから、雑草が伸び放題だった。土に埋まったジョウロやプランター、錆び付いたスコップが放置されている。その一角に最近土を掘り返した色の違う場所があった。

「あそこはなんだ」と彼は僕に聞いた。

「新しく木を植えたんだ。ユーカリだ」

その瞬間、曇天の空から雨が落ちてきた。遠くの方で犬が吠えている。色とりどりの屋根に雨は跳ね返り、騒がしい音を立てている。彼は肩を縮め、ビワの木の根元に立てかけられた錆びたスコップまで走った。彼のスニーカーに濡れた雑草がからみつき、その底にねっとりとした土が貼り付いた。

雨の音に混ざって役所の放送が響いた。川の上流では何時間も前から集中豪雨が降っており、それが今こちらに向かっていると連呼していた。

「川が氾濫する可能性があります。十分御注意下さい」

雨は一層強くなり、その声はとても聞き取りづらかった。

彼は盛り土の部分にスコップを差し込んだ。

「止めたほうがいい」と僕は忠告した。「大分時間が経っている。小我ケンジは既に白い本になっている」

彼は手を休めなかった。シャツの袖で濡れた額を拭い、雨を口で受け止めて吐き出した。

「小我ケンジの物語は哀しみに満ちている。一人で受け止めることなんて絶対にできない」

「ごちゃごちゃうるせえ」と彼は舌を出した。「お前は先輩のやることをしっかり見ていればいいんだよ」

「ののやま」に雨が降ると、その内側から真っ黒な粒のようなものが一斉に溢れ出す。それは雨に混じり、道路も川も空き地も、何もかも黒く染めてしまう。あれは蟻ではなかった。文字だった。言葉だった。僕があの日「ののやま」に探しに行ったのは、兄の白い本、兄の物語だった。

確かな感触があったのか、彼は掘るのを止めた。そしてその場にひざをつくと、両手を使って丁寧に穴を広げはじめた。容赦なく雨は降り掛かる。穴はすぐに水たまりになった。彼が水の中に手を突っ込んだ時だった。そこから黒い影が一斉に這い上がり、腕を登った。悲鳴を上げる間もなかった。彼の身体は真っ黒な言葉で覆われた。

「川の近くに住む人は早く避難して下さい」

まずいと僕は思った。今度は絶対に僕が狙われる。頭では理解していたが、足がどうにも動かなかった。下を見た。既に僕は様々な言葉に足首を摑まれていた。螺旋状になって絡み付き、這い上がって来た。大きく叫ぼうとする口の中に雨が吹き込んでくる。身体中の筋肉が強張る。

ブロック塀の向こうで何かが迫ってくる音がした。もう川が氾濫してしまったのかもしれない。次の瞬間、ブロック塀を破壊して向こうから黄色いものがやってきた。少しの躊躇もなく、轟音を立てて前進してくる。ショベルカーだ。運転席には僕の父親が座っている。彼はキャタピラで足元の黒い塊を踏み付け、その長い首を巧みに操って僕の足元に絡み付く言葉を寸断した。

「遅くなって悪かったな」と父親は笑った。「お前の兄さんは守れなかったが、お前のことは死んでも守る」

彼はがむしゃらに土を削り、後ろに放り投げた。操縦は巧みだった。一切の無駄がなかった。僕は走って父親の横に飛び乗った。父親に抱きついて大泣きした。

「父さんが堤防を決壊させたんだと思っていた」

「そんな馬鹿なことをする訳はないだろ。それがお前の想像の限界だ、ケンジ」

僕は懐かしい父親の匂いに顔を埋めた。

「俺はあの日、台風のどさくさに紛れてショベルカーでユーカリを倒してやろうと思っていた。役所の人間に敵討ちをしてもらっても俺には納得がいかないからな。誰にも見つからずにユーカリを倒したその帰り、川を見た。すぐに堤防が決壊しそうだとわかった。俺は慌ててショベルカーを動かして、精一杯それを遅らせようとしたんだ。でも操縦があまりにも不馴れだったから、逆に決壊させようとしているように見えたのかもしれない。それが俺の失敗だった。でも仇はとった。俺があのユーカリを倒したんだ」

僕は父親の話に大きくうなずきながら、声を絞り出した。

「僕は僕と同じ名前の友達を守れなかった。電気のコードが首に絡まって彼は死んでしまったんだ」

父親は僕の肩を抱いて力強く言い切った。「なあケンジ、絶対に懐かしがるなよ」

僕は顔を上げた。

「俺にはずっと昔から、懐かしがるという感覚が全然なかった。自分という存在はどこまで行っても地続きでしかないからだ。でも辺りを見渡せば、古くなったものはそれが完成された形を持っていなくても、中途で放り出された。難破船みたいに海に沈められて無視をされた。そういったものは軽蔑され、まるで汚れているものとして扱われた。汚れたものは捨ててしまえば良いと考える人もいる。それがもし乱暴なら、リサイクルして別の物に変えてしまえば問題ないと考える人はもっと多くいる」父親は僕に何度も言った。

「懐かしがるな、思い出にするな。そんな風にするくらいならいっそのこと忘れてしまえ」

僕は雨の中に立っていた。所々束になった前髪から、いくつも雫が垂れた。泥の中にマアヤさんが横たわっていた。僕は彼の両脇に手を差し込み、腰を落とし、両足を踏ん張って家まで引きずった。そして風呂場に行ってお湯を溜めた後、再び彼を抱えて靴だけを脱がし、力を振り絞ってその巨体を持ち上げ、浅くお湯を張った湯船に放り込んだ。

大きく息を吐き、裏庭に戻った。父親はいなかった。ショベルカーもなかった。ただ痕跡はあった。ブロック塀が破壊されていた。その破れ目のずっと先に荒れ狂う川が覗いていた。

「早く避難して下さい、逃げて下さい、生き延びて下さい。文字が溢れます、汚い水が流れ出します、悪い言葉が飛びかかってきます」

僕は少しも恐くなかった。今までに出会った誰のことも思い出さなかった。

かぜまち

十一歳

市議会議員初当選の連絡をうけた赤石イサオは、上半身はだかになって吠えた。還暦をすぎてなお、彼の身体にはよけいな脂肪がついていない。シャツを投げ捨てて歯を食いしばり、ポーズを決めて筋肉を見せつけ、卓上のダルマに目を入れた。

僕は長机に突っ伏して鳴りやまない電話を無視しながら、同じ六年二組の幼なじみであり、イサオの孫娘でもある赤石ミツメを目で追っていた。壁ぎわに身をよせる彼女が逃げたがっていることは明らかだった。彼女は走りだすかまえをとったが、笑顔の老人たちにとらえられ、イサオの横に置かれた。イサオが血管の浮いた大きな手でミツメの頭を力強く押さえた瞬間、カメラのフラッシュが次々に光った。

イサオは今回の選挙にいどみ、『不死鳥』とキャッチコピーをつけた。それには二つの意味がこめられていた。一つは、小学校の教員として定年を迎えた彼が再び社会に復帰すること。もう一つは、イサオの妻と息子夫婦が死亡した交通事故から一人軽傷で生還したこと。「みんなで力をあわせ、ありし日の故郷にかえろう」と彼は力をこめる。僕たちはその「ありし日」を知らない。水の流れないトイレがあったり、電気を使わずに火をたいてごはんを作ったりするのだろうか。どれも面倒だったり不潔なだけで、ちっとも良いと思えない。昔に戻ったところで死んだ人が生き返ったりもしないだろう。

今年の三月にミツメの両親と祖母が亡くなった葬式の際、大勢の知らない親戚の女たちが彼女の家に押しかけたらしい。彼女らはテーブルに寿司やお茶を並べて弔問客に笑顔を送ったあと、イサオにこづかいをねだり、線香を適当にあげて帰りじたくをした。それがこの地方の習慣とはいえ、ミツメはとても不快だったと言う。葬式をあげている家は、普段仕事を持たない人たちの日雇い労働の現場にもなるのだ。「人がたくさん死んだのに誰も悲しまない」と彼女は怒っていた。

万歳三唱がくり返される。胸の筋肉を強調し、インプラントの白い歯を光らせているイサオとは対照的に、ミツメはかたく口を閉ざしていた。大人は彼女に向かって言う。「さあ笑って。祖母と両親を亡くした悲しみよりも祖父が市議になった喜びを味わって」ミツメの肩をわし掴みにした老人がその言葉を再び口にした瞬間、彼女は相手を思い切り蹴り飛ばし、全力で逃げた。その時初めて彼女は笑った。他人の表情から感情を察することは不可能だ。僕は自分の経験上、それを知っている。

僕の祖父が亡くなった一昨年の夏の葬式だった。故人への手紙をみんなの前で読み、棺桶に入れるように無理強いされた。僕は大人が感動しそうな文章を適当に書いた。読みあげている途中で自分の嘘に触れて声が出なくなった。「悲しくて全部読めなかったんだね」と大人は泣きながら僕の頭をなでた。僕は下を向いた。

風が流れてきた。誰かが入口の引き戸を大きく開けたようだ。室内の熱気と外気に含まれた匂いが交わった。イサオの選挙事務所は商店街の中にあるかつてのカメラ屋だ。店が潰れてからずいぶん経っている。数日前にシャッターが開けられ、椅子や長机が運ばれた。選挙期間中は大勢の人が出入りしたが、たいした掃除はなされず、僕の鼻はホコリやカビの匂いで満たされていた。外気には嗅ぎ慣れた硫黄の匂いが混ざっている。

また電話が鳴った。僕は反射的に受話器を取った。相手の女性は自分の住んでいる地域と名前を言ったあと、まくし立てた。

「本当にこの度はおめでとうございます。私も微力ながら地域のみなさんに『イサオさんを応援するように』って呼びかけていたんですよ。だから嬉しくって」そこで声を落とした。

「でも私、ポスターでしか知らないの。どんな方なんですか？」

「とても立派です」と僕は答えた。校長先生が誰かを褒める時の口調をまねた。「きっとみんなを幸せにしてくれます」

「その『みんな』に私も含まれているかしら?」

イサオが上半身はだかのまま手近にいる何人かを引きつれ、こっちに向かってきた。僕は
「応援ありがとうございました」と早口で伝え、慌てて電話を切った。僕のことなどイサオの視界に入っていないと思っていたから、声をかけられて驚いた。

「お前が二十歳になる日に酒をおごってやる。ミツメとこれからも仲良くしてくれ」僕は彼の言葉を頭の中でくり返した。入口の引き戸は開け放たれたままだった。外では大勢の男たちが
桶を持ち、待機していた。

僕の町では毎年大寒の日に「湯あび祭り」が開催される。それは町の財産である温泉が涸れないことを願うための祭りだった。ふんどし姿の男たちが真冬の屋外でひたすらお湯を浴び続けるのだ。選挙の当選にかこつけ、その祭りにならい、外に出たイサオに向かって男たちが一斉にお湯を浴びせかけた。

お湯のしぶきが事務所の中まで飛んだ。入口近くにいた人たちは笑いながら奥へ避難した。イサオの顔面にお湯があたった。彼は口にたまったお湯を鋭く吐き捨て、周囲に頭を下げた。その老人に赤いバスタオルを手渡した女の人がいた。二十歳ぐらいに見える化粧の濃い女だった。イサオは女を抱きよせると、頰にキスをした。その瞬間、二人にお湯がかけられ、女の長い髪が濡れ、イサオの胸板に貼りついた。

僕はミツメを探した。彼女は両目の入ったダルマの額にもう一つ目玉を加えていた。僕が横に行くと彼女は筆を渡してきた。僕はダルマの頭に「イサオ」と大きく落書きし、二人で笑った。

赤石イサオが市議会議員になったあと、彼は市民サークル『老人ファイトクラブ』を設立した。それは老人のためのプロレス団体だった。老人たちはベンチプレスで身体をきたえたり、プールで泳いで体力をつけるだけでは飽きたらず、闘った。稽古は夜間の市立小学校の体育館で行われ、休日には見学を自由とし、客を入れて試合を見せることもあった。赤石イサオのマイクパフォーマンスは名物だった。ひ弱な若者が増えている現状をなげき、「口で言うだけではダメだ、年長者が手本をしめすべきだ」と訴えた。彼は覆面をつけて闘うことも多かった。「ラッキーオールドマン」や、「ヨナオシマン」などと役名を使いわけ、何試合も登場し、衣装もその都度変えていた。

リングは手作りで見栄えが悪く、試合の内容は大技や決め技はほとんどなかったが、十分迫力はあった。老人たちは無理にキャラクターを作ったりはしなかった。それぞれの性格や人生がその肉体に現れていて個性的であり、見わけがついた。

イサオの存在感はその中でも際立っている。彼は流行のアイドルソングで入場し、必ず女の人を両脇に従えていた。彼女たちには彼のイメージカラーである赤のミニスカートをはかせ、ピンクのタンクトップを着せていた。それは、一度都会に出て離婚して出戻った女や、駅前のスナックで働く女で、試合にのぞむイサオの胸にキスをして送り出すのが常だった。うす着の彼女たちを目あてにしている男の客も多かった。

「飛び込みの挑戦者はいないか?」リング上からイサオが客をあおった。「誰でも相手するぞ」

横にいたミツメがパーカーを脱ぎ、僕の腕をつかんだ。

「川辺は弱いから反則アリ」彼女は自分のパイプ椅子を折りたたみ、僕に渡した。僕たちがリングに向かうと一斉に拍手が起こった。イサオは大きく手招きし、奇声を発した。

「私がやられそうになったらそれでおじいちゃんを殴って」

僕はリングにあがり、椅子をコーナーポストに立てかけた。上着をぬぎ、上半身はだかになった。「僕がやる」

こちらから勢いよく突っこもうとしたが、イサオの白い身体にはいくつか黒いシミがあって汚らしかった。足が止まった。向こうが先に動いた。彼は飛びはねながら僕に近づき、平手打ちをしてきた。胸が派手な音で鳴った。会場が笑いに包まれた。まともにくらって息がつまり、前かがみになった。その背中を彼は連打した。僕はうつぶせに倒れた。彼は素早くのしかかり、耳もとに顔をよせてきた。熱い息が耳にかかる。口臭がひどい。彼の汗が油のようにねっとりしていて気持ち悪かったが、両手を抑えこまれ、身動きがとれなかった。ミツメがイサオの脇腹を蹴り飛ばすまで、僕は悲鳴をあげ続けた。

ミツメの一蹴りでイサオは大げさにひっくり返ると、「ギブアップ」と叫び、すぐに試合は終わった。勝利した僕たちは歓声を受け、リングを降りた。「よくがんばったね」とうす着の女の人が赤いタオルを渡してくれた。トイレの水道でタオルを濡らし、身体中をぬぐった。水をたくさん飲んでどうにか落ち着いた。僕たちは再びパイプ椅子に座り、試合に見入った。メインイベントが行われる直前、ミツメに「出よう」と言われた。お腹が減ったらしい。ミツメが外食する場所はいつも決まっている。

二人で体育館を出ると、入れ替わるようにして数人の男たちが入ってきた。温泉旅館の浴衣を着て、レジ袋を下げている。酒くさかった。昼過ぎの時間帯でこの状態だから、朝から飲んでいるのだろう。

国道沿いの街路樹が何本か切られていて、細かい枝や葉が地面に散らばっていた。路肩に停まっているトラックのナンバープレートは見慣れない地名だった。商店街のアーケードをくぐる。三ヶ月前にイサオの選挙事務所として使用されていた潰れたカメラ屋の前を通った。汚れた看板には『カメラのホンマ』とあり、『世界の全てを写して見せよう』と店名の横に言葉がそえてあった。どちらの文字もペンキがかすれていて読みづらかった。

いつもの牛丼チェーン店に入った。イサオがミツメに渡す小遣いは一日千円だ。ミツメは食券機に千円札を滑り込ませ、ミニ牛丼のボタンを押したあと、身体を斜めにして僕をうながす。ここで早くボタンを押さないと自動的にお釣りが出てきて彼女はすくい取ってしまう。僕は急いでカレーライスのボタンを押した。

カウンターはU字型になっている。食券機のすぐ近くの席に座った。反対側に作業着姿の男たちがいた。二人ともマスクを下にずらし、あごにかけている。頭にタオルを巻いた浅黒い男は大声でしゃべっている。ヒゲを生やしたもう片方は携帯電話をいじりながら適当なあいづちを打っている。僕たちの食券を店員が取りに来て、商品名を読みあげた。

お金は人を平等にする。こうやってお金さえあれば、老人や大人と同じように接してもらえる。画びょうを突き刺して大きくしたような牛丼屋の椅子。この椅子は床に固定されてしまっているから、自由に動かせない。どこかの誰かがこれを設計し、隣との距離を決めたのだ。この平等に対しては不満だ。これは絶対に大人の距離だ。

「おじいちゃんになめられた。ガキあつかい」

ミツメは不満そうだった。僕はカレーライスをほとんど残した。ミツメが食べ終わるまで、向こうの席にいる作業着姿の男たちの会話を聞いていた。話の内容から、国道沿いの街路樹を切ったのは彼らだとわかった。国から頼まれた仕事のようだ。これから数日かけて全ての木を切り倒すらしい。

小学校の体育館に戻った。試合は終わっていた。片づけをしている同級生の佐倉モモナがいて、パイプ椅子を運んでいた。今日のモモナは髪をおろしていた。いつものように髪を一つにすれば良いのにと僕は思った。長い髪をおろしていると暗い人に見える。

「そんなことしなくていいよ」とミツメがモモナに言った。

「ママの手伝いで慣れているから」と彼女は返した。

モモナは三年前にこの町に越してきた。両親は離婚していて、父親は海外で働いている。一人娘を引きとった母親は老舗温泉旅館の住込み従業員だった。

「イサオさんにはいつもお世話になっているから」

モモナの母親をまねたような口調だった。あの老人に「さん」をつける同級生を僕はモモナ以外に知らない。

イサオは小学校の教員を定年退職で辞めたあと、そこに隣接する公民館の受付を三年やっていた。転校してきたばかりで友達がいなかったモモナは学校が終わると公民館で時間を過ごした。彼女の住居でもある温泉旅館に帰れば、仕事中の母親に邪魔者あつかいされるからだ。自然とイサオが彼女の話し相手になった。イサオは仕事を終えて公民館を閉めたあと、彼女を自宅に連れ帰ることも多かった。同じ年のミツメに会わせ、二人をなかば強制的に遊ばせた。だからモモナの最初の友達はミツメであり、そのミツメをかいして僕も彼女と仲良くなった。

体育館の床にはビールの空き缶が転がっていた。アルコール類の持ち込みは禁止だが、時々こういうことが起きる。ルールを守らない客に対してイサオが注意しても改めない人もいる。そういった客は、トラブルが発生してこの体育館が使用中止になっても構わないのだろう。

空き缶を拾いながらモモナが言った。「最後はイサオさんと酔った客がケンカした」空き缶を手でつぶし、ゴミ袋に入れる。「あの浴衣のお客さんたちはカイジュウと闘った英雄なのにね。こっちで嫌われているって私のお母さんも言っている」

「止めて」ミツメが言った。「モモナの旅館の客だからってひいきしないで」

「良い人たちだよ。勉強を教えてくれるし、おこづかいをくれたりもするし」

「カイジュウじゃないだろ？　バクダンが落ちたんだろ？」僕はモモナに尋ねた。

「何でも一緒。恐竜の時代に戻ったとか、空も海も真っ黒になったとか、宇宙人が攻めて来たとか」ミツメが吐き捨てた。「とにかく全部終わったこと」

「お母さんは何も終わってないって」とモモナが言った。

プロレスのリングを解体していたイサオが僕たちに気づき、近よった。モモナの髪をなでた。

「後ろで束ねた方が良い。表情が明るく見える」

イサオはジャージのズボンの紐を抜き、ミツメに渡した。彼は少しずり落ちたズボンを両手で引きあげ、上着のすそを中に押し込んだ。ミツメはその紺色の紐でモモナの髪をしばり、ポニーテールにした。ミツメの将来の夢は美容師になってこの町を出ることだと、作文の授業で書いていた。

「浴衣の奴らはどうした？」イサオがモモナに聞いた。知らないと彼女は答えた。

翌日の月曜日、通学路の商店街を通ると『カメラのホンマ』のシャッターが開いていた。ホコリをかぶったガラスケースは外に出され、丸まった赤石イサオの選挙ポスターと僕たちが落書きしたダルマがその上に置かれていた。国道沿いの歩道では、昨日牛丼屋で見かけた作業着姿の男たちがそれぞれ街路樹にのぼり、強風の中、枝打ちをしていた。二人ともマスクをしていなかった。他方、赤い誘導灯をゆらす警備員は厚手のマスクをしていた。

学校に着き、教室に入った。モモナもミツメも先に来ていた。六年生になってから集団登校が禁止になった。その列に車が突っ込み、複数の児童が亡くなる事故が全国で多発していた。「一人で登校すれば事故が起きても最小限の被害で済む」というのが学校側の説明だった。

ロングスカートをはいた早船先生が来て挨拶したあと、プリントを配った。その用紙には『六年三組のぼくたち・わたしたちがこの町を選んだ理由』とタイトルがついていて、様々な筆跡の文章が並んでいた。

小学五年までは一学年に二組までしかなく、六年から一組増えた。六年三組の児童は全員が三月以降にこの町に来た人たちだった。一学期はほとんど交流がなく、お互いのクラスのことをよく知らなかった。

「クラスが増えるのはあくまで一時的な処置だと思っていて、積極的な対策をとらなかった。二学期からは互いの理解を深めるために様々な試みをします」と先生は言った。「このプリントは六年三組のみんなを知るために配布しています」

僕たちはプリントに目を落とした。

① 以前この土地に来ていて、なじみがあった。（シンセキがこっちに住んでいる）
② 他のところに行こうとも考えていたが、親の仕事もあり、しかたなくここに来た。
③ なるべくちかくがよかった。
④ ここの人たちは良い人たちだと聞かされていた。
⑤ テレビドラマのぶたいになっていて、よいイメージを持っていたから。
⑥ 親についてきただけ。
⑦ ここはアンゼンに暮らせそうだから。

他にも色々と載っていた。先生が一つ一つを読み上げ、顔をあげた。「誰かと仲良くなるためにはその相手が考えたり感じていることを知り、どんな立場にあり、何を好み、何を嫌っているのかを探る必要があります」

そして今度は白紙を配った。「今度はこちらから相手に伝える番です。この町の素晴らしいところを書きだしてください」

先生は僕たちに課題を言いつけると、黒板に「自習」と書いて教室を出て行った。学校全体で先生の数が足りていないため、この六年二組と隣の三組を行ったり来たりしているのだ。先生がいなくなったせいで教室が騒がしくなった。誰も真面目に課題にとりかからなかった。僕はふざけた文章を考えた。

「良いところは一つもありません。以上」

全員でその同じ文章を書こうとアイデアを出し、みんなも協力すると言ってくれた。紙を束にして集め、教卓に置いた。先生が戻ってきた。僕は笑いをかみ殺した。先生はきちんと読んでいるように映った。読み終えた紙を束の下に送り、何度もうなずいている。結局最後までその調子だった。一言も発さず、紙の束を机の上で整えると、教室を出て行った。僕は笑うタイミングを逸した。そのせいなのか「良いところは一つもありません。以上」というフレーズが胸に貼りつき、忘れられなくなってしまった。

帰りはミツメと一緒だった。『カメラのホンマ』はシャッターが半分だけ開いていて、中がのぞけた。空になっているのがわかった。

「今日の自習の時に書かされた文章、みんなで同じのを書いたのに先生は全部読んでいるふりをしていたね」僕はミツメに言った。

「私は別のことを書いた。みんなで同じことを書こうって決めたふりでしょ?」

彼女は地面に落ちていた機械を蹴った。それは何かを測る機械のようだった。メーターがついていて、端の赤い部分にまで針が振れていた。

「ミツメは何て書いたの?」

「温泉、友達、ミニ牛丼」

「うそ?」

「ミニ牛丼はね」

「友達って?」

　何度たずねても彼女は答えてくれなかった。

　翌朝、ショベルカーが『カメラのホンマ』を解体していた。隣の『丸岡書店』も数年前に潰れて空店舗になっており、一緒に破壊されていた。その隣の榎本豆腐店のおじさんが様子を眺めていた。僕は学校に行く途中で時間がなかったから、その場所に長くとどまれなかった。帰りに見た時、二つの空店舗は瓦礫の山になっていた。建物が破壊されてしまうとそれが存在していた風景を少しも思い出せなくなった。


　金曜日に学校から公営団地に帰ると、お母さんが玄関ドアの新聞受けを直していた。最近は新聞に折り込まれるチラシが多く、その重みでネジがゆるんだらしかった。「無理矢理突っ込んでいくんだから。本当に困る」とグチをこぼしていた。「明日からは下の郵便受けに入れてもらうように頼まないと」

　リビングのテーブルには手つかずの朝刊が置かれていた。分厚いチラシの束を包むためだけに新聞紙が存在しているように見えた。チラシのほとんどは求人広告だ。数日前、僕がトイレに行こうとした夜中に、お父さんがその束を眺めているのを目撃した。お父さんは今、車で一時間くらいかけて通勤し、以前とは違う仕事をしている。あまり給料が良くないことをお母さんが責めていて、激しく口論していた。新聞に折り込まれた求人広告には、高額な給料を約束する文面が載っていた。お父さんはその一つ一つの仕事の条件と給料を丁寧に比べているように映った。「何事も経験だから怖れずチャレンジしろ」と僕には言うくせに、自分のことはやたらと慎重になる態度をずるいと思った。

夕食を終え、外に出た。暗い路地を速足で行く。手に持ったタオルを大きく揺らし、小高い丘の小さな神社を目指す。鳥居の横に休憩処があり、無料で足湯ができる。幸いなことに今日は誰もいなかった。屋根の下には楕円形状の池のようなものがあり、白い湯気がのぼっている。それを囲むようにして木のベンチがある。スニーカーと靴下を脱いでズボンのすそをまくりあげ、ベンチに腰かけて足を入れた。龍を模した銅製の吹き出し口からお湯が流れ出ている。そこに竹籠があり、温泉たまごが作れるようになっている。待ち合わせの時間より早く来すぎたことはわかっていた。僕はズボンの前ポケットからアルミホイルに包まれた塩を取り出し、佐倉モモナが来るのを待った。

モモナは時間に遅れたことをわびたあと、レジ袋から生たまごを四個取りだし、籠に入れ、お湯の吹き出し口の下にあるくぼんだ部分に収めた。僕が家から持ち出したこともあったが、お母さんに見つかって怒られた。モモナが温泉旅館から盗んでくるのは簡単だと言うから、頼るようになった。今夜の彼女はいつものように髪を一つに結んでいる。

「今日はイサオさんがうちの旅館に来た。浴衣の人たちが夕食を食べている時」

「またケンカ？」

「一緒にお酒を飲んで肩を組んで歌ったりしていた」彼女は脱いだ靴下を二つに折ってベンチに置き、「イサオさんってすごい。誰でも仲間にしちゃう」と、ゆっくりお湯に足を入れた。

「僕はあいつが嫌い。強いのはわかるけど、そんなのってなんかちがう」

「じゃあ川辺くんはどうすればいいって思う？」モモナが僕を見つめた。「他の従業員さんに教えてもらったんだけど、イサオさんが私のママをねらっているらしい」

「ねらうって何を？」

吹き出し口からお湯が突然大量に吹き出た。ポンプの調子が悪いのか、時々こういうことが起きる。モモナは大きな音がするとそっちを見る癖があるから、僕から目をそらした形になった。後頭部がこちらに向けられる。彼女の髪を束ねているのは、イサオが体育館で彼女に渡した紺色のジャージ紐だった。

「ヘアゴム持ってないの？」

彼女は僕の方に向き直った。髪に手をやり、ほどこうとした。

「別にいいよ」僕は止めた。

彼女は両手をだらりと垂らした。「そろそろたまごできたかな？」

「まだだよ」

「少し熱い。温度高くない？」彼女は蛇口をひねり、水を足した。

「この前の自習の時モモナは何て書いたの？」

彼女はたまごの入った籠をちらりと見た。「良いところは一つしかありません。以上」

僕は驚いた。「一つも」ではなく「一つしか」だと彼女が言ったからだ。

「どうして?」

「別に意味ない。適当」

「みんなで同じ文章にしようって決めたのに?」

「決めたってふりをする遊びでしょ?」

「ミツメもそう言っていた」

「それくらい私だってわかる」

「良いところって?」

彼女は黙ってしまった。

「モモナは二人だとたくさんしゃべるのに、なんでみんなの前だと静かなの?」

彼女は立ち上がり、たまごの入った籠の場所に向かった。彼女がお湯を切って歩く音が響いた。「絶対にもうできているよ」

「賭けをしよう」と僕は言った。「もしできてなかったら、僕の二十歳の誕生日に結婚してくれる?」

「私が勝ったら?」

「一生モモナを守るよ」

「それって結局同じってこと？」

モモナは籠を取りあげ、再び僕の隣に座った。たまごを割った。未完成だった。

『カメラのホンマ』と『丸岡書店』の跡地で工事がはじまった。榎本豆腐店のおじさんの情報によれば、その一角にカフェができるらしい。上京して美術系の大学を出た人がお店を開くために地元に戻ってくるのだと言う。朝の仕込みを終えて生ゴミをまとめていたおじさんの会話には「アート」とか「プラットフォーム」とか「カフェめし」とかいう単語が顔を出した。

「どうしてみんなで一緒に学校に行かなくなったんだ？」

「子供がいっぺんに死んじゃうと大人が哀しむから。僕たちみんなで決めたんだ」

おじさんは顔をしかめた。

「今度は誘拐が増える。そうしたら学校はまた集団登校に戻す。そうやっていつもごまかすんだ」

商店街を抜け、国道に出る。切り倒された街路樹は根ごと抜かれ、土は除去され、コンクリートで埋められていた。木々がなくなったことで空が広くなったように感じた。前方からミツメが来た。下を向いてすごい勢いで歩いてくる。学校は反対側だし、ミツメの家とも違う。彼女は僕を認め、走ってきた。僕の服の袖をつかんだ。トレーナーの首回りが伸びてしまうほどの力だ。僕は慌てて彼女に従い、来た道を戻る格好になった。

最初は無言だったが、商店街のアーケードを過ぎた辺りでミツメが手を放した。彼女は立ち止まり、ランドセルを地面におろした。ウサギのアップリケが付いた巾着袋を取り出す。それはミツメのお母さんが彼女のために作った袋で、形見のようなものだ。とても重そうだった。

彼女は巾着袋の口を開いた。大量の小銭が入っていた。イサオから貰う小遣いのお釣りを彼女はためこんでいたのだろう。彼女はその巾着袋を僕に押しつけた。勢いに押され、自分のランドセルにしまった。彼女が僕の手を取り、再び歩き出した。榎本豆腐店のおじさんが気づき、声をかけようとしているように見えたが、僕たちは足早に過ぎた。

「あそこにカフェができるんだよ」

さっき仕入れたばかりの情報を口にし、空地を指さした。ミツメは何の反応も示さなかった。牛丼屋も無視し、電車の駅に着いた。ミツメが僕の後ろに回り込み、ランドセルに手を入れた。巾着袋から五百円玉を選び、初乗りの切符を二枚買った。僕は子供だけで電車に乗ったことがなかったから、ひどくとまどった。学校をさぼることよりもそっちの方に気を取られた。ホームには大勢の高校生がいる。朝の電車は一時間に一本。ここは電車が到着して全員降り、再び乗客が乗り込む駅だ。「温泉」の名を冠したこの駅から最後まで乗っていれば大きな街に出る。駅の数は五つ。そこで電車を乗りかえれば、もっと都会に出られる。

女子高校生のグループに続くようにして、改札を通った。駅員が不審な目でこちらを見た。何も言ってこなかった。三両の電車が来た。満員になり、とても座れる状態になかった。電車は山沿いを走り、トンネルを抜ける。三つ目の駅で高校生の集団が降り、ようやく座れた。

僕は上体をひねり、窓ガラスにおでこを押しつけた。近くのものは素早く、遠くのものはゆっくり流れていく。それらの事物をもう二度と見ることができないのだという気持ちになって、夢中になる。僕は一つ一つを目撃し、次の瞬間には別の風景に目を奪われ、ミツメの存在を忘れた。

「朝起きたら家にモモナのお母さんがいた。下着姿だった」

僕は車外の景色に意識が向いていた。ミツメの言葉はただの音の響きとして通り過ぎた。

終着駅に着き、乗り越し料金を払い、駅の改札を出た。タクシー乗り場があり、バスのロータリーがあった。いくつかのビルが建っていて、銀行や居酒屋や薬局があった。たくさんの人がいた。それぞれの人が自分なりの目的を持って行動したり、何かを待っているように映る。

急に怖くなった。僕たちは自然と手をつないだ。それ以外にやれることがなかった。

十七歳

「助手席に座っている間は道を覚えられないものだ」と父が言った。「十八になったらすぐに車の免許を取れ」僕は道なんて覚える気はなかったたし、いつか覚えなければならない日が来るなんて考えてもいなかった。

父の運転は荒かった。幼い頃はそんな風に思ってはいなかった。父の運転に合わせ、周りの車が避けたり減速するのを見て、父の存在が特別であるか、この車が何かしらの権威を象徴しているのだと勘違いしていた。高校の同じクラスに浅海ナオトという友達がいた。父が浅海を車で送り届けた翌日、「川辺の父さんの運転ってかなり荒いよな？」と彼に言われて初めて意識し、自分の認識の誤りに気づいた。

浅海は小学生の時、六年三組だった。高校生になり、小・中学校の頃とは別の地域の同級生と一緒になったことで、小学校で六年三組に属していたメンバーとも仲良くなった。

小学六年の頃、クラス間の交流がないことを憂慮した先生たちは、自分自身を紹介する文章を僕たちに書かせたり、運動会ではクラスを混ぜてチームを作ったりしていたが、あまり効果はなかった。僕たちはそのまま中学に上がり、三クラスに分かれた。小学校時代の六年三組の生徒も一組や二組に入ったが、クラスは同じでも互いに馴染まなかった。

でもそれが高校で変わった。他の中学からの生徒と触れ合うことで、同じ中学内での違いをそれほど大袈裟に考えなくなったのかもしれない。浅海はそんな元・六年三組の一人であり、いわゆる元・温泉旅館の客でもあった。彼の家族は温泉旅館に半年ほど逗留したのち、丘の上に大量に作られたログハウス風の建物に引っ越しをし、父親だけは県外に単身赴任していた。

高校一年の時の遠足が浅海と仲良くなるきっかけだった。その遠足は任意による参加だと強調され、海岸線沿いにある博物館を見学した。自然災害により壊滅的な被害を受け、一度は閉館したのだが、有志の学芸員などが再開のため手を尽くし、現在僕が通っている高校の生徒たちが手伝ったこともあって、縁が出来た。

博物館の展示品は珍しいものではなかった。動物の剝製や土器などが主だった。この土地のものであるという点においてのみ、貴重だった。遠足の参加を希望する生徒は少なかったが、ミツメに誘われ、僕は従った。案の定、退屈だった。周りを見渡した。ガラスケースに額を押しつけるようにして熱心に鑑賞している浅海の横顔を、ミツメが遠くから注視していた。その彼女の横顔を僕は見つめた。彼女の視線の先にいる彼に興味を持ち、近づいた。

ガラスケースには今は使われなくなった昔の楽器が展示されていた。「この楽器、どんな音がするのかな?」浅海は言い、僕に向かって頭を下げ、「今日は来てくれてありがとう」と笑った。ここは彼がかつて住んでいて、捨てざるをえなかった地域の博物館だった。高校二年になった時、僕とミツメとモモナと浅海は同じクラスになった。

博物館での浅海とのやり取りを回想しながら、車外に目を遣り、シートベルトを強く握りしめた。三月上旬になっても道路の両脇の斜面には雪が大量に残っていて、車道側に迫り出していた。そのせいで車線が狭くなっていた。急な下り坂が続く。「轢くぞ」と父が早口で言った瞬間、脇から飛び出したタヌキが車の前面に当り、衝撃で身体が前に傾き、シートベルトが肩に食い込んだ。父はスピードを落とさず、ハンドルを巧みに操作してすぐに態勢を整え、表情を変えずに車を走らせ続けた。

父は本職とは別に日曜日だけ警備員のアルバイトをしていた。それは、通行止めになっている場所に立ち、車両通行証を持っている車だけを通し、それ以外には簡単な地図を渡して迂回を促す仕事だった。今日は同僚が急病で欠勤することになり、代わりが見つからなくて会社が困っているらしく、僕を紹介すると父は言った。僕は夏休みに工事現場で警備員のアルバイトをしていて、すでに講習も受けていた。

僕たちの住む団地から車で一時間ほど走った。見慣れた国道を折れ、山道を進んだ。この辺りのことは全然知らなかった。

「お前がまだ小学校の低学年だった頃、イワナやヤマメを釣りに行くときはいつもこの道を通った」

「覚えていない」

「お前にとっては車と電車に違いはないだろ？　乗車さえすれば勝手に動き出し、自然と目的の場所に着く」

多くの木が切り倒され、小さな山は削られていた。黒い土がむき出しになって広がっていて、無人のパワーショベルが何台もあった。地面を掘り返しているのだろう。今日は日曜日だから作業は休みのようだった。蛍光色の旗が道路脇に何本もある。作業員を鼓舞するような威勢の良い言葉が並び、風にはためいていた。

左手前方に『ただいま実験中。近よるな』と書かれた派手な看板が現れ、ピラミッド型の人工的な山が見えた。巨大な青いビニールシートが表面を覆っていて、太陽の光が跳ね返り、まぶしかった。ビニールシートの隅には太い紐が結びつけられ、重しがあった。そのビニールシートの隙間から、大量の黒い袋の塊が覗いていた。黒い塊はさっき見たパワーショベルの傍らにも置かれていた。袋の口が縛られ、札のようなものが付いていたが、遠目にはそれが何なのか確認できなかった。

その山は目障りな代物だった。あれをどこかに運ぶよりもこの場で燃やして処理した方が早いように思えた。「土って燃えるのかな?」と父に聞いた。答えは無かった。

ひび割れたアスファルトの道を逸れ、ぬかるんだ土を踏みつけながら、車は作業所の本部がある敷地に入った。うす汚れたワンボックスカーの隣に停車し、車を降り、父とプレハブに入った。パソコンに向かって事務処理をしている女性と簡単な会話を交わし、書類に名前と住所を書いた。手続きはそれだけだった。別室で作業着やヘルメットを借り受けて着替えた。急いでトイレを済ませ、自動販売機でスポーツドリンクを買った。

車に再度乗り込み、この道の先にある行き止まりの場所に向かった。バリケードが見え、その前に眼鏡をかけた警備員がいた。父はクラクションを鳴らして合図を送り、路肩に車を停めた。眼鏡の警備員が笑顔で誘導灯を大きく振り、僕たちを出迎えた。車を降りて近づく。

「息子さん?」

僕はバリケードの向こう側を見た。ここことそこに違いはなかった。バリケードが一体何を仕切っていて、何を基準にしてここに存在するのかわからなかった。風だけがバリケードを越え、こっちに向かって吹いていた。この道はあの博物館への近道なのだろうか。海もそれほど遠くないのかもしれない。潮の匂いを嗅いだ気がした。

「うちには子供がいないから羨ましいよ。父親と一緒に仕事するって特別だ。キャッチボールをするとか、一緒に風呂に入るとか、そういうのとはまた違うんだろうな」

眼鏡の警備員は厚手のマスクをしていた。早口だった。彼が話す度にその隙間から息が漏れ、眼鏡が曇った。「これあげる」ペットボトルのコーラをくれた。ぬるかった。「俺の名前は山木。一日よろしく。会ったことないし、会ったとしても忘れていると思うけど、同じ団地だよ。川辺さんはA棟でしょ？　うちはF棟」

僕は誘導灯を受け取り、バリケードの前に立った。父は無言だったが、山木さんは盛んに話しかけてきた。父との思い出を聞かせてくれと言ったり、将来の夢や学校のことを尋ねてきた。

「彼女は？」僕は小さく頷いた。「同じ高校？」再度頷く。「同じクラス？」

「小学校から」

「羨ましい。俺は見合い結婚で、まともに恋愛したことがないんだ」

遠くに赤い光が見えた。三台のパトカーが連なって来た。バリケードを慌てて開けた。

昼になって順番に弁当を食べ、夕方にバリケードに施錠し、仕事を終えた。父の車で作業所の本部に戻り、一日だけの勤務である僕だけが特別にその場で今日の給料を受け取った。作業着を返却し、併設されているシャワーブースを利用した。シャワーを終えて休憩所でぬるいコーラを飲んでいたら、眼鏡もマスクも外した山木さんが濡れた髪をタオルで拭きながら現れた。

「こうやってきれいな身体になると若いでしょ？　俺」

さっきの彼よりも老け込んで見えた。彼に対して失礼なことを言いたくなった。「どうしてこの町を捨てないんですか？　子供がいなければずっと自由なはずです」

彼は口を開けて笑った。わざとらしい笑い方だった。「東京の大学に行くの？」

「まだ決めていません」

「彼女にしろ女房にしろ、一人でも隣に誰かがいれば自分の好き勝手にできない。愛していればなおさらだ」

ところで今日の仕事でいくら貰ったのかと、彼は尋ねた。僕は正直に答えた。

「高校生だからってなめられて千円少ないよ」

彼は部屋を出て、しばらくして戻ってきた。「お疲れさま」そう言って裸の千円札を僕に渡した。


時々僕と浅海は二人でカフェに行った。『カメラのホンマ』と『丸岡書店』の跡地の一角にできたスポットという名前の店だ。新しい店とは思えないほど中は雑然としている。テーブルや椅子の他に、ひしゃげた標識や潰れたランドセル、割れた食器や汚れたぬいぐるみなどが大量に置かれ、壁には様々な人が写った色あせたスナップ写真が貼られていた。『これらは私が拾って集めた品々です。持ち主の方がいらっしゃいましたらお声がけください。お返しいたします』と店主のコメントが添えてあった。これらはアーティストを名乗る店主なりの芸術作品でもあるらしかった。

初めてここに足を踏み入れた時は不快だった。たくさんの死体に囲まれている気分だった。実際にそう感じた人も多かったようで、好奇心と物珍しさからここを訪れた人たちも眉をひそめ、何も注文せずに店を出る場合があった。僕は段々と慣れた。嫌悪感を示す人たちは心が弱いのだ。イサオが身体を鍛えるようにして僕たちは心を鍛える必要がある。浅海はこの店を好きではないようだったが、いつも強引に誘った。

何回か通ううち、最初は不味く感じたコーヒーも砂糖とミルクを入れれば何とか飲めるようになった。小遣いに余裕がある時はケーキを注文することもある。たいていはチーズケーキかチョコレートケーキで、洋酒をたっぷり使ったサバランは食べたことがない。未成年には提供できないと、顎鬚の店主が言っていた。

春休みも残りわずかだった。もうすぐ高校三年になる僕たちは、また同じクラスになることがわかっていた。テーブル席に着き、コーヒーを頼んだ。ケーキを食べたかったが、我慢した。山木さんから最後に受け取った千円札は財布の奥に畳まれていた。

浅海が昨日で高校を辞めたのだと唐突に告白した。東京の音楽学校に通うのだという。彼は週末になると何度か上京していた。親戚に会うためだと聞かされていたが、音楽学校の体験入学をしたり、住居探しをしていたのだろうか。

「ミツメは？」

「美容師の学校に入る予定。あいつは高校卒業の資格が必要だから一年待つ。向こうで一緒に住む」

僕は彼女の巾着袋を思い出した。小学六年の時点ですでにたくさんの小銭が詰まっていたあの袋。ミツメはあれからもずっと、あんな風にしてお金を貯め込んでいるのだろうか。浅海は自分の土地を追われたことを理由に、その要因を作り出した企業から毎月数万の補償金を最近まで貰っていたらしい。

「公営団地の抽選が当って馬鹿みたいに喜んでいたろ？」その団地は新しいだけでなく、僕が住んでいる団地より設備も内装も数段立派だった。「お前も一年待てよ」

「待てない。この一年で色々変わるんだ。それも全部悪い方向に」

浅海はこの町の温泉の湧出量が段々と減っていることに触れた。温泉旅館に住んでいるモモナから噂を聞かされていたが、それほど深刻ではないと彼女は言っていた。

浅海は続けた。「電車が廃線になるっていう話もあるんだ」

半年前、地元の鉱山を所有し、運営していた会社がその硫酸輸送の方法を電車からトラックに切り替えた。そのため収入の多くを占めた貨物輸送がなくなり、経営が厳しくなったという話は聞いていた。ただ、外国企業や県に掛け合い、どうにかして存続させようとする動きがあるらしく、問題ないだろうとも言われていた。電車は現に存在しているのだ。事故や事件があったわけではない。廃線になるなんて想像できなかった。

「貨物輸送の件だけじゃない。モモナの旅館は持ち堪えているけど、ここ五年で温泉旅館が何軒も潰れている。この町に来る旅行者は年々減っているし、町の人口自体もどんどん減っている」

それは今にはじまったことではなかった。誰よりも危機感を抱いていると豪語する赤石イサオ市議会議員は町おこしに熱心だった。僕と浅海はその手のイベントに絶対に参加しなかった。横目に見て通り過ぎた。『老人ファイトクラブ』の試合を観に行ったのは中学一年が最後だった。

「今までだって同じだろ？　みんなが当たり前に知っていることを自分だけが知っているみたいに語るな」僕は語気を強めた。「イサオには？」

話すつもりはないと彼は言い、明後日の昼過ぎの電車で出発すると教えてくれた。「わかった。見送りするからその前にミツメも呼んで三人でここに集まろう」

約束を交わし、店を出た。浅海が向こうに去るのを確認して、僕は団地とは違う方に行った。母に強く頼まれていた用事があった。無視するつもりでいたが、浅海と話をしているうちに気が変わった。なるべくゆっくり歩いた。街灯の少ない路地に人影はなかった。

赤石家はそれなりに立派な門を備えた古い一軒家だ。表札の文字はイサオが書いたものだとミツメに教わっていた。呼び鈴を押した。出てきたのはイサオだった。「お願いがあります」と僕が言うと、上がれと彼は応えた。ミツメは不在のようだった。彼女は高校に入ってからスーパーマーケットでアルバイトをしている。今夜は出勤しているのかもしれない。

イサオの部屋に通された。古いオーディオ機器が最初に目に入った。絨毯も家具もうす汚れていて、黒い革のソファーだけが真新しかった。部屋にはイサオの臭いが染み込んでいた。テーブルには食べかけのカップラーメンがあった。イサオはうす笑いを浮かべ、僕の動きを見ていた。ソファーに座り、単刀直入に僕は切り出した。

「今月いっぱいで父の会社がなくなり、失業します。何か良い仕事を紹介して貰えないでしょうか」

イサオも正面のソファーに座った。「川辺さんは別に警備員をやっているんだろ?」たばこに火をつけた。「とても大切で立派な仕事じゃないか。そっちをメインでやればいい。あの仕事は絶対になくならない」

僕は彼から視線を逸らし、部屋の隅に目をやった。鉄アレイとゴムチューブが置いてあった。

「父はずっと事務仕事だったんです」

「働く姿を見たのか？　知らないことを知っている風に言うな」

イサオは煙を吐き出した。「冗談だ。でもお前も失礼だぞ。人に頼みごとをする時は何か代わりのものを用意するのが礼儀だ。両親にそう教わらなかったか?」

僕はその瞬間、ミツメと二人で電車に乗った十一歳のあの日を思い出した。ミツメは確かに言った。「朝起きたら家にモモナのお母さんがいた。下着姿だった」

僕はその言葉を反芻し、ようやく意味を理解した。モモナの母親も何かしらの取引をこの老人としていたのかもしれない。あの日の電車に戻りたいと思った。車窓の眺めに気を取られずに、ミツメの話をちゃんと聞けばよかった。

「僕には何もありません」

「自分なりに考えろ」

こうやって追い込まれることを僕は望んでいた。胸を痛めながら、父のために仕方なしに話すのだ。

「ミツメと付き合っている浅海が高校を中退し、明後日この町を出ていきます。そして一年後の高校卒業と同時にミツメも出ていきます。二人は東京で同棲するか、勝手に結婚するかもしれません」

「ミツメが浅海くんと付き合っていることは報告を受けている。美容師の専門学校に行きたがっていることは知っているし、許可している」

僕は何も言い返せなかった。イサオの言葉を待つ以外、やれることはないように思った。長い沈黙のあと、彼は僕の父の希望業種を尋ねた。僕は母からの言付けを伝えた。

「俺の知り合いの不動産屋か、医療機器メーカーに話を通してやる」

彼は立ち上がって僕の隣に座り、力強く肩を抱いてきた。

「まだガキの時、お前はミツメと駆け落ちしただろ？　二人が泣いているところを警官が保護して俺が迎えに行った。あの時は俺が何を聞いても全然口を開かなかった。随分と成長したじゃないか。きちんと人の目を見てしゃべれるようになった」

「自分より先に死ぬ相手には優しくしろと親に言われています」

僕は彼から離れた。

彼は笑いながら言った。「最初の選挙の時にお前と交わした約束を覚えている。お前の二十歳の誕生日に一緒に酒を飲もう。俺たちは仲間だ」

「このカップラーメン、僕もよく食べます。カレー味」

イサオは苦笑し、ミツメがバイト先から大量に持って帰ってくるから食べているだけだと答えた。ミツメが料理下手なことを僕は知っていた。

「ミツメ以外の身内の方が全員一気に亡くなった時、どう思ったんですか？」

「自分のことだけを考えた。みんなそうすべきだ」

僕は浅海の件を話したことを後悔した。

「僕はまだダメだ。自分の考えすらまとまっちゃいないし、わかってもいない。せいぜい嫌味を言うことしかできない。今日はありがとうございました」

玄関に行き、たたきを見た。僕のスニーカーが揃えられていた。自分でそれをやった記憶がなかった。振り返り、階段を見上げた。

「帰ったのか？」イサオが二階に向かって呼びかけた。僕はミツメが帰宅した音を聞き逃したのだ。唾を飲み込もうとしたが、喉が渇きすぎていて、上手くできなかった。

翌日、父の転職先が早々に決まった。イサオから紹介を受けたと話す会社から電話がかかってきて、条件を提示され、父が承諾した。来月から彼は医療機器メーカーで事務の仕事をすることになった。母は僕に礼を言ったが、父からは何もなかった。夕食の時に浅海のことを母に話した。彼女はテレビを見つめたまま生返事をした。

外に出て足湯の休憩処に向かった。木の板でふたがされていた。しばらく使用できないと注意書きがあった。板の隙間から中を確認した。お湯はないのに、硫黄の匂いは強くなっているように感じた。モモナが来た。彼女も事情を知らないようだった。生たまごの入ったレジ袋を慎重な手つきでベンチに置いた。いつものように彼女の隣に座っても、親密な空気を作り出せなかった。よそよそしい感じになってしまい、彼女に話したいと思っていることを全然口にできなかった。

もう遅いから帰るねと、モモナが言った。僕はもどかしく思いながら、彼女の言葉で弛緩し、楽になったのがわかった。家に帰ってベッドに潜り込んだ。なかなか寝つけなかった。

浅海との約束を破ろうかとも思った。彼からの電話を無視し、散々逡巡したせいで家を出るのが遅れ、浅海とミツメに会えたのは数分だった。僕がスポットに到着した時、二人が注文したコーヒーは既に空だった。僕は詫びなかったし、二人も責めなかった。

四人掛けのテーブル席に二人は横並びに座り、手を繋いでいた。浅海の足元には新品の大きなリュックサックがあった。限界まで物を詰め込んだようで重そうに見えた。それに視線を注いだ瞬間、僕は彼を軽蔑した。その感情を絶対に悟られたくなかった。

「この三人の中で誕生日が一番遅いのは三月生まれの川辺だよね？」ミツメが言った。

「三人が二十歳になった日、つまり川辺の誕生日にここでサバランを注文しよう」

思い出を語るような口調だった。彼女は今のこの時間をすでに懐かしんでいるのだろう。彼女の意識は未来に置かれているのかもしれない。

店に残ったまま二人を見送った。駅までついて行く気持ちにはならなかった。コーヒーを飲んだ。さっきまで二人が座っていた椅子が少し乱れていた。音楽を聴いていた。いつまでも終わらなければ良いと思った。

家に帰ると両親が慌てていた。電車が廃線になると言う。臨時の株主総会が開かれ、来年の二月末日に正式に廃線が決まったらしい。テレビを点けるとちょうどローカルニュースだった。聞き慣れた路線名をキャスターが読み上げた。交通手段は既存のバスの本数を増やすことで対応するらしい。実感が湧かないまま、卒業式の直前まではとりあえず平気なのだと安堵した瞬間、思い出が蘇った。今では日常になっているが、小学生の時は電車に乗ることが新鮮だった。

ミツメと二人だけで電車に乗ったあの日の出来事。あれは駆け落ちだったのだ。僕たちの行動が大人の目にどう映ったのか、イサオに教えられて初めて知った。気を緩めると心はあの電車に戻ってしまう。本当は戻れない場所に戻ったような錯覚が起きた時、意識は過去に送れても身体はここに置き去りで、そのことが苦しかった。

新しい仕事をはじめた父は、給料が上がったことを理由に日曜日の警備員の仕事を辞めた。僕があの行き止まりの場所に行ったのは一度きりだった。バリケード越しに見た向こう側にも雪が残っていた。草が生え、木々があり、道路も伸びていた。アスファルトなどの人工物があることで、かつてそこにも人間が住んでいて、生活があり、そことここは一つだったのだと認識できた。だが同時に、バリケードで簡単に区切れてしまう以上、本当は全然違う世界なのかもしれないとも感じた。

高校二年から三年になるその間にも、見えないバリケードがあった。僕はイメージする。バリケードの向こうに浅海がいた。モモナと僕はこっちにいる。ミツメはいない。彼女の姿を向こう側に見つけてしまいそうで、探すのが怖かった。

足湯の休憩処は時々閉鎖されることはあっても、おおむね利用できた。ただ、一時でも流れが途切れたことで場の空気が死んでしまったのか、管理が雑になった。屋根は雨漏りし、温泉たまごを作るための籠は紛失し、温泉の吹き出し口の龍の角が誰かに折られた。

足湯につかるのが好きだ。夜道を歩くのも好きだ。どちらの時も輪郭がぼやけ、外に滲んで広がっていく気がする。身体はお湯に溶け、夜の闇に溶ける。皮膚や自意識といった強固なバリケードが霧散し、世界と一つになる。目を閉じて夜をイメージし、モモナを抱きしめる。お互いのバリケードとバリケードが重なってこすれ合うだけで、溶けて一つになったりはしない。身体の境界線がはっきりしたまま、強く抱きしめても変わらない。両腕に力を込める。痛いとモモナがふて腐れる。

モモナはスポットでアルバイトをはじめた。「アーティストの考えることってすごくユニーク。ここをわざと不快な場所にしたいんだって。大人を困らせて常識を壊すカフェを目指しているって。私ここが大好き。割れたレコードも、穴の開いた鍋も、首の取れた人形もどれも素敵」

彼女は高校卒業後も継続して働く予定らしい。僕が一人でコーヒーを飲んでいる間、カウンターの向こうにいる彼女が店主と談笑しているのを見るのが辛かった。彼女が作るサバランは店主のものより美味しいと評判だった。「素材も作り方も同じなのに変だよね?」と彼女は言った。味見と称して彼女はサバランを食べたようで、アルバイトを終えて足湯の休憩処に現れた彼女の顔が赤かった。

「川辺くんは未成年だからまだ食べちゃ駄目だよ」と甘ったるい口調で僕をからかった。ほんのりと洋酒の味がする彼女の唇に、僕は何度もキスをした。

「ここで賭けをしたのを覚えている?」何度目かのキスを終えたあと、モモナが言った。「小学六年の時。温泉たまごができているかいないかってやつ」

僕たちは今までそれを話題にしなかった。約束を交わしたことも大切だが、お互いが覚えていることはもっと大切だ。時間の経過の中、想いや意志が試されている。僕は確認作業をしたくなかった。彼女の軽率さを憎んだ。

「私は忘れていないよ」

二月末になり、高校に行く用事は卒業式だけになった。たいていは家にいた。スポットにも行かなかった。町は騒がしかった。廃線が話題になり、多くの鉄道ファンが訪れ、温泉旅館は連日満室だった。モモナはスポットのアルバイトをしながら母親の仕事を手伝っていたから、僕と会う時間がほとんどなかった。

この一年、廃線に反対する運動や署名活動もあったが、結局は変わらなかった。決定事項を覆すのは大変で、もし回避したいのなら、その前に行動を起こさなければいけないのだと知った。その法則は僕自身にも当てはまる。この三月いっぱいで僕の学生の肩書も終わる。そのことが決定する前に何かした方がいいのだとわかってはいたが、どこに向かえばいいのか見当がつかなかった。両親には大学に行くように強く勧められた。どうにも勉強に集中できず、現役での大学進学を諦めた。就職活動もしなかった。最後はイサオを頼ればいいのだと、腹の底では考えていた。

母に買い物を頼まれ、ミツメがアルバイトをしているスーパーマーケットに行った。目当てのものを探すふりをして、レジ打ちをしているミツメの後ろ姿を見つめた。彼女は手際よく商品をさばき、客に笑顔を送り、「ありがとうございました」と声を張る。僕が何かをして、彼女に感謝された経験があっただろうかと、記憶を巡らせた。

帰り道、団地の壁に貼られたポスターに気づいた。赤字で大きく『さようなら電車』と見出しがある。廃線になったあと、駅のホームや駅舎でイベントを行うと書いてある。フリーマーケットが行なわれ、同県の出身でそれなりに名の知られたバンドが来てライブをするようだ。『老人ファイトクラブ』の試合も開催される。上半身裸で笑顔を浮べる赤石イサオの写真を眺めていたら、衝動的に破きたくなった。手を伸ばしかけ、止めた。

『さようなら電車』の日は快晴だった。木造の駅舎の中では、切符に印を入れるための改札鋏や古い時刻表、駅名のプレートなどが販売された。すぐにほとんどが売り切れた。ホームの端では『老人ファイトクラブ』の試合も予定通りに行われた。ホームの広さの関係もあっていつもよりリングが小さかったが、地元以外から来た観客も多くいて、勝敗が決定する度に歓声があがった。イサオの顔は皺とシミだらけだったが、肉体は美しく保たれていた。形のよい筋肉をキメの荒い皮膚が覆っており、白い粉を吹いていた。彼が右手を伸ばして雄たけびを上げると、大勢の人が彼の勝利を祝福し、労をねぎらった。

「最高でした。すごくかっこよかったです」モモナがイサオに駆け寄り、赤いタオルを渡した。彼はモモナの頭を撫でた。彼女は顔を上気させ、僕のところに戻ってきた。

バンドの演奏は改札口の横だった。演奏用の機材が運ばれ、用意が整いつつあった。スタッフの中に浅海がいた。バンドのベースの人が音楽学校の先輩であり、同郷ということもあって東京で仲良くしているようだ。浅海は束ねられたシールドを伸ばし、アンプに繋いでいる。彼が東京に出て行った日から約一年ぶりの再会だった。連絡をしても色々と忙しいのか、いつも簡素な対応だった。僕は浅海が学校で何を学んでいるのか知らなかった。裏方作業をしている彼を見て、作曲の勉強や楽器の演奏をしていないのかもしれないと思った。バンドのメンバーに怒鳴られ、彼は頭を下げていた。いつも無給で手伝っていると聞いていたから、彼が怒鳴り返すのではないかと心配した。

古い畳を重ねただけのステージだった。足場が不安定なため、ボーカルはマイクの調子を確かめながら盛んに足元に目を遣り、不満そうな顔をしている。浅海はステージから少し離れた場所にいて、たくさんのツマミが付いたテーブル状の機械をいじっていた。ギターが試しに弾いた。何度か手を動かしたあと、「もっと音返して」と浅海に向かって言った。僕には言葉の意味がわからなかったが、彼はすぐに反応し、ツマミをひねった。ライブがまだ始まってもいないのに、浅海が緊張しているのがわかった。

「浅海くんも歌ったりしないのかな?」とモモナが言った。

「あいつはただの使い走りだろ」

ほとんどの観客は談笑したり携帯電話を操ったりしながら適当な様子で過ごしていた。太陽は出ていても風は冷たかった。冬着の人もたくさんいる。浅海は半袖のTシャツ姿だった。首にタオルを巻き、額の汗をぬぐっていた。

飲み物を買ってくるとモモナに告げ、その場を離れた。浅海の緊張が僕にまで伝わってきたのか、手のひらに汗をかいていた。トイレに入り、顔を洗った。無人の改札を出て自動販売機でスポーツドリンクを買い、振り返った。自転車に乗ったミツメがこっちに向かって来た。アルバイトが終わり次第、参加すると彼女は言っていた。遠目にも息を切らせているのがわかった。僕はもう一本スポーツドリンクを買った。

「終わっちゃった?」ミツメはそう言ってから、僕が手渡したスポーツドリンクを勢い良く飲んだ。その時ドラムの音がした。試し打ちをしているような感じだった。

ミツメは素早く顔をその方に向け、小走りで駅に入った。僕の中で彼女の真剣な横顔が影のように残った。目を閉じて彼女の残像を噛みしめる。時間が経つにつれ、目鼻立ちは曖昧になり、顔の輪郭が溶けてしまった。もう思い出せなくなった。ボーカルが何かを叫んだのが聞こえ、我に返って目を開け、急いで戻った。

観客は様子を窺うようにして遠巻きにバンドと距離をとっていた。前の方に行く人はいなかった。モモナを認め、並んだ。ミツメは一人で一番前にいて、首を曲げ、バンドではなく裏方作業をしている浅海のことを見ている。演奏が始まった。ミツメは浅海の動きにばかり注目していて、音楽を全然聴いていないように映った。一曲目が終わった。一番前のミツメの態度に苛立ったのか、ボーカルが彼女を睨みつけた。二曲目がはじまった時、彼女は靴を脱ぎ、踊り出した。身体を揺らして軽くステップを踏む。しばらくして靴下も脱いだ。下はコンクリートだ。足のうらを痛めることになるかもしれないと心配になった。

お構いなしだった。ミツメは踊りながら両手に持った靴下を振り回し、投げた。動きが段々と激しくなった。彼女のミニスカートがひるがえった。そのせいで下着が覗いたが、彼女は全く気にする素振りを見せない。回転し、腕を伸ばし、頭を振り、時折歓声を上げる。その動きは決してでたらめな感じではなかった。曲の展開に合わせ、強弱をつけ、バンドのメンバーを煽った。彼女は手に持っていたペットボトルの蓋を開け、中身を空中にぶちまけた。そして空になると捨て、飛び跳ね、手を叩いた。

他の観客が彼女に合わせて盛り上がったりはしなかった。むしろ反対だった。戸惑い、身体を固くしているように感じた。そんな風にただ傍観する人々を僕は押しのけ、彼女と一緒に踊りたかった。大きく息を吸った。彼女の汗の匂いがここまで届いた気がした。

ミツメの髪の毛にスポーツドリンクの液体が付着している。そこに太陽の光があたり、輝いていた。僕の視界の中でその一点の光が縦横に揺れた。僕も叫びそうになった。彼女は明日、バンドの車に浅海と一緒に乗ってこの町を出て行く。彼女が高校の卒業式を欠席することを僕は知っていた。

僕の十八歳の誕生日は明日だった。車の教習所に通ってはいても、十八歳にならなければ仮免許すら取得できない。あと数日待ってほしかった。僕が彼女を連れ出したかった。

僕は浅海に視線を送った。彼はバンドだけを注視している。その彼の表情が、さっき見たミツメの真剣な横顔を僕に想起させた。

十九歳

車にナビを搭載しているがあまり使用しない。地図が頭に入っている。色々な道を覚えてしまった。いつだって最短コースを選ぶのが好きだ。車内のクーラーをさらに強くする。冷風で身体が震える。

道路脇の所々に点在する空き地に積み上げられた黒い袋の山は、もう何年も放置されているようだ。土を削った際に木の芽もそこに含まれていたのか、根を張り、幹を伸ばし、袋を突き破って生長しているものもあった。袋の耐用年数が過ぎたのだろう、山の下部の袋は穴が開いているものも多かった。『ただいま実験中』の看板には「ウソツキヤロウ」と青いスプレーで雑に落書きされていた。

車のスピードを上げる。父の荒い運転が嫌いだったのに、今は父の運転をイメージし、なぞっている。後部座席の荷物が気になってはいるが、減速はしない。箱に収まっているし、梱包材で丁寧に包んである。週末に開催されるゲートボール大会の優勝者に贈呈されるトロフィーを届けるのが、午前中の仕事だった。イベントの主催者である神社の神主さんに渡すそのトロフィーは、大会名などの文言をプレートに打刻しただけの中国製だった。

高校の卒業式を終えた翌月、赤石イサオから電話がかかってきた。彼は僕に仕事を紹介したいと言った。知り合いの会社の新入社員が入社から二週間で辞めてしまったらしい。今から求人広告を出すのは時期が悪いし、知り合いの中で良い人材はいないかと問い合わせを受け、「川辺くんを真っ先に思い出した」と彼は僕を指名した。

そのイサオからの電話を受けた時、僕は社会的な意味で空白の状態だった。車の免許だけは取得したが、大学に行くための勉強も就職活動もせず、何も考えていなかった。アルバイトもしないで毎日家にいて、無為な時間を過ごしていた。その話を受けることに決めたのも僕の意志ではなかった。「絶対に断るな」という母の忠告を受け入れただけだった。

実家から一時間半ほど車に乗って会社まで通勤する。企業向けの販売促進品やノベルティーグッズなどを扱う仕事のため、ほとんど毎日車に乗り、年代も幅広い多様な立場の人たちに会う。誰かに仕事を説明する時、自社で扱う商品、企画営業を担当していること、従業員の人数や取引先などを例に出し、伝える。でも本当に僕がやっていることは、車を運転し、誰かに会い、話を聞くことがほとんど仕事の全てだと感じる。だがその説明ではどうやっても上手く伝えられない。わかりやすい箇条書きされた言葉を使うことで、便宜的に仕事を定義している。

時々、自分は空っぽのコップではないかと思う時がある。そこに上司や取引先の人の意見や自慢話がとめどなく注ぎ込まれる。僕は相槌を打ち、愛想笑いを浮かべるだけで、その流入を防ぐことはできない。人生は素晴らしいと強調する人がいれば、人生はくだらないと吐き捨てる人がいる、この国は終わっていると囁く人がいれば、この国は最高だとはしゃぐ人がいる、ここはどこよりも安全だと断言する人がいれば、ここは世界で一番危険な場所だと嘆く人がいる。

正しさも間違いも矛盾も関係ない。一人ひとりに生活や意見があり、経験も思惑も異なる。上司や顧客である以上、相手を否定する返答はなるべく避けなければならない。全く納得できない意見にも曖昧な態度でやり過ごすくらいがせいぜいだ。そういったやり取りを続けていると、自分が本当に感じたり考えたりしていることを見失ってしまう。各々の正しさが屹立しているという事実を傍観することしかできないと実感し、その群れの中で僕の意見は埋もれている。

コップの蓋が欲しかった。もう誰の話も聞きたくなかった。上司に言われたことだけをこなし、注文を受けた商品を顧客に渡し、金を受け取った瞬間に他者との関係を完全に断ち切りたかった。

そんな思いに支配されると、僕はいつも通勤で使用している国道を逸れる。そこに明確な境目があるわけではない。車外の景色から様々なものが欠落していき、徐々に変化が訪れる。そこは、人が住んではいけないとされている区域だった。もう何年も前からほとんど廃村になっている。自動販売機は使用できないし、農協や郵便局の入口も鎖で厳重に封鎖されている。アスファルトを割り、道路の真ん中から赤い花が生えている。

何度もその地域を通るうちに、一軒の空き家に目星をつけた。山の中腹にあり、近くに他の家がない。手入れのされていない庭や乱雑な玄関の様子から人の出入りが長期間ないことが推察された。その二階建ての一軒家に隣接された牛舎を覗くと、空だった。

雑草が伸び放題になった庭に車を突っ込み、エンジンを切る。辺りを見回し、外に出、家の裏側に行く。台所に通じる勝手口の鍵は壊れている。泥棒でも入ったのかもしれない。室内はそれほど荒らされた様子はない。家具や電化製品や寝具などは放置されたまま、埃をかぶり、傾いている。

靴はちゃんと脱ぐ。物は動かさない。二階には上がらない。畳の部屋は虫が湧いているから入らない。フローリングの部屋だけを使用する。それらが自分なりに課したルールだった。神主さんとの約束の時間まであと数時間あった。会社の上司にメールをした。顧客側から約束の時間を早めたいと連絡があったと書き、出勤せずに自宅からそのまま向かうと送った。この手の嘘を日常的についていた。上司も気づいているはずだが、対応はいつも甘い。僕の背後にイサオの影を見ているのかもしれない。

窓を開け、自分の車から持ってきたレジャーシートをフローリングの床に敷き、その上に転がる。部屋を観察する。仏壇が置いてあり、白黒写真の遺影が何枚も飾ってある。

ここは他人の家だ。勝手に上がりこんでいる。気持ちは休まらない。むしろ自己嫌悪にすら陥る。冷房もない。物が腐った臭いが充満している。それでもこの行為を止められなかった。

かつては温度があった。音があった。動きがあった。風景が躍動していた。そうでありながら、今はただ沈黙している。その不在の気配が僕に話しかけてくることはない。この場所には、無差別にこちらに入り込んでくる乱暴さがなかった。ハンカチで額の汗をぬぐう。ワイシャツが肌に貼りつき、気持ちが悪い。

開いた窓から風が流れ込んでくる。白いレースのカーテンが揺れている。風は色々なものを運んでくる。風が発生する理由は小学校の理科の授業で教わった。大気中の気圧には高低差があり、気圧が高い所から低い所に空気が移動する。人々は時々、風について話す。どうやら、世界には良い風と悪い風があるみたいだ。風車を回して電気を作り出す風は良い風で、汚れた空気を運ぶ風は悪い風、濡れたものを乾かしてくれる風は良い風で、隠したいことや根も葉もない噂をまき散らす風は悪い風。

息を吸うのがためらわれる。空のコップに流入してくるのは他人の思念や言葉だけではない。風に運ばれ、目に見えない、臭いのない汚れがここに届く。冷たい風の感触は汗をかいた僕を慰める。風には何の恣意もないだろう。気圧の違いがあるから勝手に吹いているだけだ。

再び遺影を見る。会ったこともないし、名前すら知らない。会いたいとも思わないし、哀しいとも思わない。ただこの写真の人たちは生きていないのだと認識するだけだ。その人たちにとっての唯一の乗り物が風なのかもしれない。海岸沿いにある汚染された建物、その向こうに巨大な海がある。昔の人はその海を死者の世界と描いたこともあった。そこから吹く風の向きに沿って国道が伸びている。地図を見るとよくわかる。その国道は風が切り開いたようにすら映る。風と一緒に様々なものがここに届けられ、帰ってくる。

この部屋に懐かしさを覚えた。高校生の時にアルバイトで行ったバリケードの場所と似ているのだと気づいた。あそこには、ここと同じように場がただそこにあって、自分の存在を忘れることができた。

窓を閉めずに外に出た。車に戻って再び走り出す。多くの神社がそうだろうが、目的の神社も高台にある。階段を上がって見渡せば、遠くに海が望める。神社に着く前から、その景色が自分の中で見えている。光の具合や風の角度までイメージできる。

まだ時間がある。少し遠回りをした。高校生だった自分が一日だけ警備員をした場所に行った。バリケードの位置がずらされているようで、あの頃よりは奥に入ることができた。ただそれがどこにあったのか、正確にはわからなかった。道路の先は行き止まりだった。唐突に寸断されている。

もはやバリケードなどの暫定的な仕切りではない。目前にはコンクリート製の白い壁がそびえていた。少し見上げるほどの高さだ。表面の色は石灰でも塗り込められているのか、真っ白で、光があたってまぶしかった。どこにも扉がないし、はしごなどもない。白い壁は山の斜面に沿って続いている。

この白い壁は防風壁と呼ばれていた。そもそもは、それぞれの住人が自宅の庭に壁を作り始めたことがきっかけだった。家の海側に位置する所に白い壁を作る人が増えた。最初は目立たなかった。車で走っている間、外に目を向けると、地上から徐々に生えてきたように数が増えた。最初はただの白い壁には思えなかった。大きな表札か墓標のようにも見えた。

風の流入を最小限に抑えたい、壁を繋げて防御したいという思いは、この地域に住む人たちの総意だった。個人個人の力では徹底性がなく、目的を果たし得ないことは明白だった。壁を道路や山にまで広げる必要があった。国や県の新しい予算はそこに集中した。街路樹を切っていた人たちや土を削っていた労働者たちが今度は壁作りに回った。

車を降りて白い壁に近づく。マジックやスプレーでたくさんの名前が書いてある。ただの落書きではない。死んだ人たちの名前だ。壁が出来始めると、自分が覚えている死者の名前をみんなが次々と書いた。僕も胸ポケットから黒マジックを取り出した。葬式の時に中途半端な嘘の手紙を書いたことを謝罪するつもりで、祖父の名前を丁寧に記した。

車に再度乗り込み、神社を目指す。黒い袋の山はあらゆる場所に存在している。どうしてこれらを壁の向こう側に運び入れないのだろう。もう向こう側に人は住んでいないのだから、誰の迷惑にもならないはずだ。こんな袋の山が未だ残っているから、安全だと発表された壁のこちら側で住むことが可能とされた場所でも、住人がなかなか帰って来ないのだ。

壁の向こう側の土地を人々は完全に捨てた。そしてたとえ壁のこちら側でも、その近くにはもう住まないと決めたのだろう。それが自分の意志かどうかは関係がない。選んだのか、選ばせられたのか、誰かに強要されたのか、経緯はどうであれ、結果は同じだ。

鳥居の横にある駐車場に車を停める。届け物を抱え、急な石段を慎重に上がっていく。石の欠けた所があって不安定だ。神社の本殿前にある平屋建て住居に到着し、インターホンを鳴らす。玄関口に出てきた神主さんに荷物を渡す。暑いですねとか、色々ありましたねとか、抽象的な言葉を使って曖昧にやり取りをする。「ここら辺も残っているのは年寄りだけになりました」と彼が言った。僕は口を固く結んでうなずくだけだ。

頭を下げ、その場を後にする。階段の一番上から遠くの海を眺める。水平線があり、防波堤がある。それに守られるようにして、海岸沿いにコンクリートで覆われた四角い物体が望める。本当はそんなものはここからは見えない。テレビやインターネットの映像で知ったその姿を風景の中にイメージし、重ねている。

その方角から絶え間なく風が吹いている。防風壁など意味がないと言う人がほとんどだ。風の流入を防ぐことは不可能だろう。壁の建設はまだ途中で所々で途切れている。これだけ山に囲まれているのだ。壁が完成することなど絶対にない。高みからその軌跡を辿るとその頼りなさがよくわかる。大量の木々の緑に比べ、白い壁の姿は埋もれている。でも人々はそれを作り始めた。実務的には必要がないものでも、精神的な意味で存在意義が発生する場合もある。

午前中に見積もりを終え、昼食後は進行管理表の作成をしていた。その合間、工場から届けられたトートバッグのサンプルを手にして愕然とした。プリントの色合いが注文したものと異なっている。地の色のせいもあるだろうが、これでは客が納得しないだろうと判断し、仕事を中断し、急いで直接工場を訪ね、再度作り直してもらった。それをそのまま受け取って客の所に行った。待ち合わせ時間から数時間遅れていた。連絡は入れていたし、事情も説明してはあったが、何度も謝罪し、製品を見せ、最終的に了承を得た。電話で上司に経緯を報告すると直帰でいいと言われ、車を自宅に戻し、シャワーを浴びて着替え、再度車に乗った。

就職してもうすぐ二年経つ。仕事にもだいぶ慣れ、様々なトラブルにもある程度対処できるようになった。言われた通りにやることと、自分なりに工夫してやることの区別もつくようになった。就職して覚えたのは県内の道だけではない。出会ったのは上司や顧客だけではない。どのような製品でも、それが手元に届くまでにたくさんの人が関わっていることを知った。その見えない工程を想像したり、想いを寄せたりすることができるようになったことが、学生の頃との大きな違いだった。

スポットのカウンター席に座り、店のマッチ箱を眺める。印字された店名一つとっても誰かがロゴをデザインし、ここにプリントしたのだと思うと、表面的だった世界が立体的になる。

僕のアイデアもその世界を創る駒の一つになれないだろうかと考える。具体的には何も思いつかないけれど、何かと何かを繋ぐジョイントのような事物が僕にも産み出せないだろうか。マッチを一本擦ってその火を眺めた。指先が火傷しそうになるほど辛抱強く摘まんでいた。灰皿に落とすとすぐに燃え尽きた。マッチ箱をズボンのポケットに仕舞い、店主に話しかけた。

「壁に貼ってあるスナップ写真の持ち主が来たことってありますか？」

「ないよ」

「何でこんなことを？」

「気が休まるんだよね。ここに写っている人たちはほとんど全員死んだんだろうなって」

何年先のことならイメージできるだろう。どれくらい前のことなら思い出せるだろう。あの空き家がまた恋しくなる。

「趣味が悪いですよ」

「良いも悪いもなくない？　強いか弱いかがあるだけで。表現にしろ、人間の在り方にしろ」

「強いのも弱いのも嫌です」

店主は苦笑した。「それよりモモナと連絡とれた？」

僕もさっきから何度も電話をしているが、一向に出ない。彼女にしては珍しく、無断欠勤しているという。今日はここのアルバイトが終わったら僕の誕生日のお祝いをしてくれる約束だった。

明日でようやく二十歳になる。三月生まれの僕は同級生の誰よりも誕生日が遅かった。そのせいもあって、体軀の違いを含め、みんなより少し劣っていた。年を重ねる毎にその差異は縮まったが、集団の一番後ろでみんなを追いかけているイメージは抜けなかった。先を行くみんなは僕を慰めるようにして「川辺が二十歳になったら」と何かにつけて約束した。

後ろから風が流れてきた。誰かが店に入ってきたようだ。振り返るとリュックサックを背負ったミツメがいた。「久しぶりだね」と笑ったのは店主だった。僕は彼女の後方に気を取られた。浅海の姿を反射的に探していた。

彼女はリュックサックを足元に置き、隣に座った。注文を聞いた店主に、すぐに出てまた戻るのでと、頭を下げた。「モモナは？」

「約束はしたんだけどね」と僕は答えた。

「他に好きな男でもいるんじゃないの？」

僕は咄嗟に店主を見た。

「実家にお土産置いたらまた戻る」と彼女は出て行った。僕はもう一度モモナに電話をしたが、電源が切れているか電波の届かない場所にいるとアナウンスが流れた。しばらくして誰かが店に入ってきた。浅海だった。

「学校は？」

「もう終わったよ。今月で卒業。バイト先のライブハウスにそのまま就職」

彼は春物のジャケットから名刺を取り出した。「好きなバンドを呼んでイベントの企画を立てたりしている」

僕は自分の名刺を出さなかった。学生時代にはない社会人としての振る舞いが、時間の経過を否応なしに証明する気がして二人の関係に似つかわしくないように思えた。僕は受け取った浅海の名刺を財布に仕舞った。

「今日はみんなで念願のサバランを食べるんだろ？」

日付が変わるまであと数時間あった。

ドアが乱暴に開いた。息を切らせたミツメだった。彼女は勢いよく僕に近づき、袖を引っ張った。僕はごく自然に立ち上がった。浅海の方が戸惑っているように見えた。どうしたんだと、彼は口にした。ミツメは彼を睨みつけた。僕は嬉しくなった。イサオと何かしらもめたのかもしれない。でももう気にする必要はない。見知らぬ街で泣き、警官に話しかけてもらうのを待つようなあの頃の僕たちではなかった。

ズボンの後ろポケットから財布を抜いた。お金がなかった。仕事の混乱のせいで下ろすのを忘れていた。財布の奥に畳んであった千円札を取り出す。山木さんの現在の姿を一瞬だけ想像した。折り目がくっきりとしているそのお金でコーヒー代を払った。

二人が東京から乗って来たレンタカーは黒い軽自動車だった。運転席に浅海、助手席にミツメ、後ろの席に僕が座った。コインパーキングから車を出し、でたらめに走った。「どこに行けばいいんだ」と浅海が言った。「高校の遠足で行ったあの博物館に行こう」と僕が提案した。

「こんな時間じゃ閉まっているだろ?」

ミツメは黙っていた。浅海は僕の意見を汲み、赤信号で停まった時にナビを操作して行先を設定した。他人が運転する車に乗るのは久しぶりのことだった。「道がない」と呟いて浅海がブレーキを踏むまで、僕はこの車がどこに向かっているのか全く気にしなかった。

白い壁があった。ナビが示す道筋では、この壁を通り抜けて向こう側に行けるはずだった。でも現実には、道は寸断されている。壁が本格的にでき始めたのは浅海が東京に行ってからで、彼には見慣れない光景なのだろう。ミツメも浅海も戸惑っているように見えた。僕は車を降りた。山の斜面に沿って壁は続いている。街灯などは無く、ヘッドライトの明かりで周りの様子がうかがえた。

壁の傍の木に登って飛び移れば、その上に立てそうだった。僕は雪の残る斜面を駆け上がった。湿った枯葉で足元が沈むが、気にせずに進む。目星をつけた木の枝を掴み、身体を持ち上げた。足で壁を蹴り、勢いをつけて登った。車のドアが開く音がした。エンジンをかけたまま、浅海とミツメも車を降りたようだ。二人が近づいてくるのがわかった。

僕は枝から枝に移り、壁に向かって軽く飛んだ。左右の足を前後に開いてバランスをとった。手のひらが熱かった。木の肌に触れたせいで皮膚が少し傷ついたのかもしれない。慎重に歩いた。壁の上は暗かった。車のライトと月明かりが頼りだった。

白い壁ができ始め、それが連なり出した時、最初は驚いた。海岸沿いに汚れた場所があって、そこからの風を防ぐために周囲何十キロの場所を壁で囲おうとするなんて、無茶苦茶だと思った。でも少しだけ時間が経ち、その過程に立ち会い、徐々に変化する風景を何度か見てしまえば、何も感じなくなった。

いつだって最初は違和感があった。人が住めない土地をあんなに作り出したのに大した問題ではないと聞かされた時、山がこんなにあるのに汚れた土を全て削って集めてどこかに貯蔵すると聞いた時、汚れた水が海に流れ出ないように地面を凍らせると聞いた時、そしてその発表の通りに景色は刻々と様相を変えていった。でも一方でその違和感に気を取られてはいけないような気持ちになる。

初めて子供だけで電車に乗ったあの日と同じように、車外の風景に気を取られ、肝心な誰かの言葉を聞き逃してしまうのではないかと怖れているのかもしれない。風景が変化していくことに僕たちはほとんど手出しができないのかもしれない。だからせめて、身近な人とのコミュニケーションにだけは注意を払うべきだ。視線を向けられるのはせいぜい一つの所だけだろう。外ではなく内に視線を注げと、誰かに強要されている気持ちになる。でもその誰かとは、一体誰だろうか。

浅海とミツメも木を登ってきた。僕は手を伸ばし、二人を壁の上に導いた。壁の片側は僕の住む土地で、反対側は人のいない土地だった。僕たちは人のいない側の土地の方に足を投げ出し、壁の上に座った。一番右が僕で、真ん中にミツメ、一番左が浅海だった。

「ここすごいな」と浅海が言った。「俺初めて告白するけど、イサオさんの選挙演説を聞いて自分を変えようと思ったんだ。あの人すごく良いこと言うよ。地元がめちゃくちゃになって疲れ切ってここに来て、『俺はあなたたちのために生きる』って力強く言われて握手された時、心に沁みた。俺、高校辞めて良かった」

冷たい風が吹いていた。僕の自意識は風に散らされることもなく、夜の闇にも溶けなかった。しっかりとした輪郭を持ち、確かにここにあった。

「さっき一度家に帰った時にモモナに会った」とミツメが告白した。一緒に連れて来れば良かったのにと、浅海が言った。

「言おうかどうか迷っていたんだけど」ミツメが声を落とした。

僕は顔を上げて風景を見ていた。夜の闇に全てが塗りつぶされているが、濃淡の違いから事物を見極める。大小の山がいくつかあった。そしてその向こうには広大な海がある。見えなくても見えている。僕は視線を逸らさない。

「モモナが家にいた。下着姿だった」

僕はそのことを知らなかった。でも知っていたような気持ちになった。ミツメの言葉を今度こそ聞き逃さなかった。その意味をすぐに理解した。

「イサオと取引した。就職先を紹介して貰った」それは実際に交わされた約束ではなかった。でも同じことなのだと思った。

「川辺は何もしないの？」

「何もしなくてもあいつは直に死ぬよ」

僕は立ち上がった。よろけて落ちそうになり、慌てた。「このまま壁の上に住もうよ」と二人に笑いかけた。

「お前も東京に来いよ」と浅海が言った。その言葉は僕を少しも慰めなかった。風になりたかった。そう口にした所で、額面通りに受け取っては貰えないだろう。

「絶対に戻ってくる。ここで待っていて」

飛び降りた。足元が滑り、体勢を崩して派手に転んだ。枯葉が堆積していたおかげで怪我はなかった。立ち上がり、斜面を下りていった。エンジンがかかったままの車に乗り込み、サイドブレーキを解除し、ギアをドライブに入れる。車を発進させて山の斜面に軽く突っ込み、方向を変えた。アクセルを踏み込む。ナビが別のルートを考え始める。人家の明かりも街灯も対向車もない。

窓を開ける。首元を切りつけるような冷たい風が流れ込んでくる。どこに行ってもいいし、何をしてもいいのだと思った。下り坂を走っている時、小動物が正面に飛び出してきた。ハンドル操作を誤れば事故を起こすだろうと瞬時に判断し、スピードを上げ、このまま轢こうと考えて突っ込んだ。

衝撃はない。身体が少し浮いた。黒い空間をヘッドライトが照らす。ハンドルを握る腕が無意識のうちにクロスしていることに気づく。車がゆっくり旋回し、斜めに傾いた。次の瞬間に落ちることがわかった。頭を低くした。下から思い切り突き上げられた。助手席側にもんどり打って倒れる。車が回転しはじめる。窓から投げ出された。その上を車が飛び越えていくのが見えた。ガラスの割れる音がする方向に転がった。背中と後頭部を強打し、身体が弾む。また落ちた。意識が遠くなった。

足の痛みと強いガソリンの臭いで正気を取り戻した。ここは休耕田だろうか、口に入った土を吐きだし、袖で顔をぬぐい、目を凝らす。徐々に暗闇に慣れた。青いビニールシートで覆われたピラミッド状の黒い袋の山があった。全体の形が少し崩れていた。袋の中から土がこぼれている。これがクッション代わりになったのだろう。

数メートル先の変形した車から液体がこぼれる音がする。ラジエーターの水だろうか、それともガソリンだろうか。道路はかなり上空にあり、遠く感じる。下半身の痛みが激しい。黒い袋の一つが右足に乗っていて動かせない。かなり重量がある。押しても無駄だった。上手く力が出せない。頭がぼんやりしていて再び意識を失いそうだった。携帯電話を探してズボンのポケットに手を入れた。出てきたのはスポットのマッチ箱だった。上体を起こし、マッチを擦る。車に向かって投げる。届かない。何度も試みたが、上手くいかなかった。

マッチが残り少ない。風を読む。その流れに乗せれば良い。ズボンの後ろポケットから財布を抜き、自分の名刺を取り出し、マッチの火で燃やした。すぐに燃え尽きそうな火種だった。焦ってはいけない。風の角度を感じながら、火のついた名刺を投げた。僅かに上昇し、揺れながら着地した。液体が瞬時に燃え広がる。青いビニールシートが照らされる。黒煙を上げる巨大な炎がその端を掴むまで、それほど時間はかからなかった。

ろんど

私に名前を与えた時、母は七歳でした。私にカードサイズの緑のプレートを接着剤で貼りつけ「これで完成だね」と手を叩いたあと、そこに刻まれた『輪舞曲』という漢字の読み方を神に再度確認します。彼が「ろんど」と読み上げ、彼女は復唱しました。それが私の名前になりました。

数日前に誕生した時には発生していなかった感情が、名前を与えられた瞬間に芽生えたことを覚えています。それは、自分がここにいていいのかという疑問であり、どこかに行かなければならないという衝動でした。ただ私にはその新しい感情を表出させる術がない上、実際どういう種類のものなのか具体的には把握できていませんでした。

頭部に差しこまれた小さなチップには私が記録した映像や画像が収められているようでした。神はそれを抜き出してパソコンに取り込み、再生します。私が先ほどまで見ていた二人の顔が映っていました。

「ねえパパ、わたしのおでこって大きすぎない？」

「ママに似たんだよ」

そんなやり取りをただ静観していました。もしその時点で自由を望んだとしても私の意志では不可能でした。私が備えている能力は多くありません。操縦機からの電波信号を受けて飛行することと、動画や静止画を撮って保存すること以外には、何もできませんでした。ただ操縦機からの信号が届かなくなった非常事態においては、私自身を守るため、独自の思考が働くようにプログラミングされていました。

私が誕生して名前を与えられるまでの数日間は雨が続きました。神はロボット工学者としての仕事を終えて帰宅すると、私の頭脳に新しい知識や情報を次々と入力しました。母がそばにいない時、神はまだ名前のない私に対し「ユウタ」と呼びかけることがありました。「もっと一緒にいてやれたら色々話したり、教えられるのに」と、キーボードを打つ手をふいに止めました。

母はテレビの天気予報を見る度に、私を外に連れ出して早く飛ばしてやりたいと言いました。彼女は枕元に私を置き、ボタンの一つを押しました。視界のすみに赤い丸と『録画』の文字が出現します。「名前はもう少し待ってね、ちゃんと考えるから」母はそのまま眠ってしまったため、私は彼女の寝顔を記録し続けました。

四隅にネジ穴が開いたプラスチック製のプレートは、長い雨があがった早朝に母が近所の山道を散歩している時に拾ったものだと、神に説明していました。朝日に照らされて光り、遠目にも目立ったそうです。『輪舞曲』の文字が刻まれています。彼女はとっさに空を見上げました。なぜこんなものがここに落ちているのかと不思議に思い、どこか遠い国から運ばれてきたのではないかと感じたそうです。

「これをつけてもじゃまにならない？」彼女はプレートを持ち帰り、神に尋ねました。この程度の重さなら問題ないだろうと彼は答えました。

「名前も決まったことだし、今日やろう。風もないし絶好の日よりだ。もし調子が良ければそのまま本番」

私の角度からは母の表情が見えませんでしたが、強くうなずいた声でとても喜んでいることを察しました。誕生後、母は自らの年齢や好きな食べ物などを私の頭脳に入力したため、私は彼女を少しずつ知っていきました。

朝食を終えた母は赤いリュックサックを背負い、コンセントにつながれていたコードを抜き、私を丁寧に抱きあげて急いで外に出ました。神は風がないと言いましたが、私は感じることができました。隙間だらけの身体を風が抜ける度に、小さく音が鳴ります。車の後部座席に母と共に乗り込み、運ばれていきました。レンズは母の方を向いています。「いよいよだね」と声をかけてきました。窓は視線より高い位置にありましたから、風景はあまり見えません。車を走らせながら神は音楽を流していました。

車外に顔を向ける母が何かを見つける度に口を開きます。「帰りにこのパン屋に寄ってよ。看板がかわいい。ほら、あっち、こっちってこんな大きな本屋もあるんだ。すごい。いいなあ」こんなにはしゃいでいる母の姿を見たのは初めてでした。彼女はたいてい暗く沈んでいました。

昨夜の出来事です。「ほら、雨の音が変わった、わかる?」母は自室の窓ガラスに顔を押しつけました。「ママとお兄ちゃんが帰って来なくなったのは一年前のこんな雨の日だったんだよ。なんだか眠れなくて夜中にふいに雨の音が変わった時、すごく嫌な予感がした」

母は今、昨夜と同じように窓ガラスに顔を寄せていますが、声の調子は大きく異なりました。彼女が振り返って言いました。「ねえ『ろんど』、おまえの頭脳とカメラは高かったけど、他の部品は中古のラジコンヘリコプターを改造したんだよ。全部パパのお手製」

赤信号で止まった車が再び動き出すのに合わせ、後部座席の窓が徐々にさがり、風が流れ込んできました。母の長い髪が急に乱れ、短い悲鳴をあげました。風の音が騒がしく、音楽が聴きとりづらくなりました。母は目を閉じて顔にまとわりつく髪を払いました。私は母のように自分で目を閉じることができないので、ずっとその仕草を見つめています。彼女は手首にはめていたピンクのヘアゴムをはずし、両手で髪を束ね、後ろでまとめました。

「海の匂いがする」母は目を開けてつぶやきましたが、私は匂いをかぐことができません。風の音に負けないくらいに音楽のボリュームを神があげ、「僕の青春時代の曲だ」と教えました。「この曲は知っている」母は大声で歌いはじめ、神も一緒になって歌いました。車が右折すると揺れが大きくなりました。スピードを落とし、慎重に進みます。凹凸のある道は振動が激しく、下から突きあげられました。座席から落ちないように母が支えてくれました。

車が止まりました。母は窓を閉め、神はエンジンを切りました。母はシートベルトをはずしてリュックサックを背負い、私を抱えます。ドアを開けた彼女は「すごいすごい」と飛び跳ねました。

私たちは小高い丘のような場所から海を見おろしていました。駐車場は舗装されておらず、土がぬかるんでいます。母は慎重に水たまりを避けて歩きました。海は荒れていて泳いでいる人はいませんでした。『高波や離岸流が発生するため遊泳禁止』と赤字で書かれた看板が傾いています。

海岸に降りるための白い石の階段がありました。左右から雑草がおおいかぶさっていて幅が狭くなっています。ショルダーバッグをさげた神が先頭になり、母が続きました。

流木や貝殻の散らばった海岸に着きました。砂浜もまだ少し湿っているようで黒味がかっている所もありましたが、太陽が照りつけ、少しずつ乾かしていきました。カモメが海上で輪を描いています。母はリュックサックから七色のレジャーシートを出し、広げました。神と母はその上に座り、二人の間に私が置かれました。正面から吹いてくる風のせいで砂が舞い、私にぶつかります。波は寄せる時も引く時も同じように大きな音を立てていました。両脇にいる神も母もしばらく黙っていました。私の視界には二人の姿が映らないため、海だけをただ眺めていました。

母は立ち上がり、波打ち際に歩いていきました。リュックサックからスナック菓子を選び、袋を開け、砂浜に撒きました。たくさんのカモメがいっせいに寄って来てついばみます。神もあとを追い、彼女の横に並び、操縦機に新しい電池を入れました。

「やれそう?」

「僕の休みとイクミの夏休みの終わりを考えたら今日が無難。雨じゃないだけいい」神はそう言ってバッグからペットボトルの水を出し、飲みました。

「車を止めたあの小高い場所はもちろん、ここから数キロ向こうまで昔は海だったらしい」神はペットボトルをバッグに入れ、私の背後の陸地の方を指さしました。「長い時間をかけて海が縮んだんだ。水はどこに行っちゃったんだと思う?」

「足りないところに行ったんじゃない?」

「単純じゃないんだ。学校にも足の速い子と遅い子がいるだろ? 速い子の力を遅い子にわけてあげることはできない」

神は両手をくみ、伸びをしました。「でも実際はイクミの言う通りみたい」

「どういうこと?」

「海が縮んだ分、砂漠が減っている。そうなると世界はみんな均一になって人間も同じ顔になっちゃいそうだ」

「わたしが大人になればもっとママに似るんでしょ？」

なんでもわかっているんだなと神は小さく笑いました。「暑くなる前にやろう。まずは試運転」

神は小走りで戻ってきて、私のバッテリーを調べました。「ここに来る間電源をずっと入れっぱなしにしていたのか？　少し減っている。まあ問題はないけど」

「待って」母が慌てました。「万一『ろんど』がはぐれた時のために」彼女はスカートのポケットから自分の名前と電話番号を記したシールを取り出し、私の身体のパイプ部分に貼りました。

神は手ごろな大きさの板を拾ってきて私を乗せ、操縦機を手にしました。「あらためて復習。左のスティックを押し上げるとモーターが加速して機体が上昇」

「ラジコンヘリコプターとほとんど一緒でしょ？」

「まあそうだ、イクミは慣れているから初めてでも全然難しくないはず」

神の操作に合わせ、私の身体が瞬時に反応します。四つのプロペラが回り出し、上昇をはじめました。「まずはホバリング、そして回転」

神の胸の高さで浮いていた私の身体が、彼の言葉通りに回りはじめました。視線が移り変わります。海岸線の向こうに木々の生い茂った岬があり、その方を正面にした時、回転が終わりました。

「こっちのスティックで前進」

浮遊したまま身体が前に進みます。岬が徐々に近づきます。その突端に白い灯台があることに気づきました。車に乗って走り出した時から感じていました。ここは私が行きたいと望んでいる場所に近いはずだという予感があります。私に取りつけられたプレートが風を受け、細かく震えます。

海の方から吹いてくる強風にあおられて少しバランスを崩しながらも、私はさらに上昇し、岬を目指します。名前を与えられて以来ずっと抱いていた感情に変化が訪れた瞬間、右に旋回しました。神と母の姿が再び視界に入りました。今度は二人に向かって前進します。それは私が行きたい方向とは反対でした。飛行しながら緩やかに下降していき、徐々に速度が落ちます。再び板の上空でホバリングし、ゆっくり着地しました。そんな動作を何度か繰り返したあと、神は操縦機を母に渡しました。

「海に落とさないように気をつけろよ」

同じ操縦機で操作しているのに、二人の違いがわかりました。神は滑らかで無駄がありません。他方、母は荒く、急激に上昇させられたりして予測がつきません。ただ母は私を操作することに自信を抱いており、命令の一つ一つに迷いがないようでした。

「問題ない。僕より上手いかもしれない。本番にしよう」神が私の身体の録画ボタンを押しました。「力むなよ。練習通りにやればいいから」

小学二年の母は夏休みの自由研究として海岸線の形状を録画し、潮の満ち引きによる変化をリポートすると決めており、私は一時間おきに海岸線上空を飛び、眼下の風景を記録する役目をたくされていました。

灯台のある岬は森から突き出るように伸びています。陸地の奥までずっと木々が広がってい て、森がどの程度の大きさなのか確認できませんでした。私の興味は森の奥でした。母の操縦に従って飛行し、海岸線を録画しながらきっかけを狙っていました。

操縦機から離れれば離れるほど、命令の信号が弱くなります。それが完全に届かない距離になる前にいつも方向転換をさせられ、二人の元に戻されてしまうのですが、海から吹く風を利用すれば信号を振りきれるのではないかと感じていました。前進し、風景を記録し続けました。波が寄せる度に砂浜が濡れ、色が変わります。白い泡の粒が大量にうまれ、弾けて消えます。海の動きがとどまることはありませんでした。

もうすぐ旋回を指示する信号が届くだろうと感じた時でした。突風が身体を後ろから強く押し、あおられた私は、今までにないほど加速して上昇します。近くで羽ばたいていたカモメが奇声を発しました。操縦機からの信号が断続的になり、不意に途切れました。プロペラが突然静止して一気に減速し、身体が前傾し落下しはじめます。

その瞬間、私が行きたいと望む森の奥から声が聞こえました。私を励ますような調子でした。地面に激突する寸前、自らを飛行させたいと念じました。眠っていた頭脳のある部分が稼働したのがわかりました。プロペラが再び回りはじめます。それは母や神の命令を受けた時とは決定的に違う感触でした。私の想いと動作がつながっているのです。

左に旋回し、森の方を眺めます。さらに視線を動かし、神と母の姿をとらえました。ズームし、状況を確認します。二人はカモメの群れに襲われて逃げまどい、操縦機を手放しています。カモメも味方なのかもしれません。迷いはありませんでした。森の奥から聞こえる声に意識を集中しました。

私の頭脳が人間でいえばどの程度なのかわかっていませんでしたが、自分を守るため、バッテリーが切れる前に平地を見つけ出し、着地する必要があると知っていました。その程度の知性を有していたのは、神が色々とプログラムしてくれたおかげでした。砂浜で何度か飛行したせいでバッテリーの残りは半分ほどです。自由になる時間は限られています。

風を切って進みます。眼下の風景が砂浜から森に変わりました。木々が密集し、地面はほとんど見えません。声は段々と大きく聞こえてきましたが、正確な方向をつかめません。不安になってきました。二人の元に帰るのが一番安全かもしれないと弱気になりました。

太陽は天高くにありました。私の背中には小さなソーラーパネルが取りつけてあります。神は言いました。「バッテリーが切れてもあきらめるな。太陽の光が再び動かしてくれる」充電にはとても時間がかかりますが、神がさずけてくれたお守り代わりの装備でした。

太陽の方角にレンズを向けると、直射日光のせいでカメラがエラーを起こし、視界の色がめまぐるしく変化しました。黒や赤や緑になり、白くにじんで広がりました。視線をそらしたあとも自動補正に時間がかかり、しばらく何も見えず、音だけが頼りでした。プロペラの音や風音にまじり、私を呼ぶ声のようなものが再び届きました。しばらくその方向に向かって飛行し続けました。

視界が正常に戻りました。この数秒の間に風景に変化が訪れています。遠目に街並みが出現しました。森と街並みの間を何かが仕切っています。近づいて認識しました。白い壁でした。正確な大きさはわかりませんが、どうやら壁が連なっており、街を囲っているようです。私は白い壁の上空を越えました。

森の中に突然出現した街並みからは、木の葉や雑草などの濃い緑をのぞけば、鮮やかな色が抜け落ちていました。鉄さびの色やむき出しのコンクリートの灰色などが多くを占めています。いくつかの建物がありました。それらは住居のようですが、屋根が落ちたり外壁に穴が開いたりしていました。電信柱も横倒しになっています。タイヤが取れ、フロントガラスの割れた車が放置されています。そんな廃車が空き地や路肩に何台も点在していました。服が散らばっていたり家電製品が転がっていたりして、所々に生活の痕跡はありましたが、人の気配はありません。長い間もう誰も住んでいないのでしょう。

視線を動かし、時にズームし、全てを記録しました。アスファルトの道路を突き破って咲く赤い花が目立ちました。下降し、その姿を収めました。再び上昇しようとした時でした。声が大きくなりました。

「ろんど」

その声は私の名前をはっきり呼びました。近くにくすんだオレンジ色の瓦屋根の平屋建てがあり、『スナック輪舞曲』と書かれた看板が設置してありました。看板の下部は割れていてネオン管がむき出しになっています。おもてに出された傘立てに数本のビニール傘がささっていました。どれも骨組みがさびつき変形しています。入口らしき木製のドアにはブドウやイチゴの彫刻がほどこされています。黒ずんで汚れてはいますが、ドアの中央に四つのネジ穴らしきものがありました。

ネジ穴と高さを同じにし、ゆっくり前進しました。間違いありません。私の名前となったカードサイズのプラスチック製のプレートはここに取りつけられていたものです。私を呼んでいたのはこのドアだったのです。

身体から力が抜けました。録画することに夢中だったせいでバッテリーの残量に注意が向いていませんでした。プロペラの回転が遅くなり、地面が近づきます。カメラの電源が落ちるまでには猶予がありそうでしたが、飛びあがる力はもうありませんでした。

着地しました。幸いなことに地面は平らでしたが、屋根のひさしのせいで身体が影に隠れてしまい、太陽の光が届かなくなりました。方角を考慮すると、午前中しか陽があたらない計算です。ソーラーパネルを使用して十分なエネルギーを溜め、再び飛びあがるには数日かかるかもしれません。ただその間の雨が心配です。私は簡単な防水機能を備えてはいましたが、長時間雨に打たれた場合、壊れる危険性がありました。

「壊れてもいいじゃないか」ドアが言いました。「やっとここに帰って来たんだから」

身体に付着したプラスチック製のプレートが声に反応するように細かく振動しました。ドアとの邂逅により、プレートの歴史を感じ取りました。

かつてこの家に住んでスナックを経営していた人がいました。その人は何らかの理由でここから立ち去らなければならず、ドアに取りつけられた『輪舞曲』のプレートをはずし、ポケットにしまいました。海にほど近いこの土地を離れ、内陸へと向かい、一生を終えました。

遺品の中にあったプレートをその人の孫が見つけて遊んだのは偶然かもしれません。すぐに飽きて山に捨てたのも偶然でしょう。どれほどの時間が流れたのかわかりませんが、それを母が拾ったのはもっと大きな偶然でした。しかし「ろんど」が私の名前となったのはきっと偶然ではありません。

今私は、かつてその人がドアからプレートをはずす際に立っていた場所に身体を落ちつけています。ここに置かれた両足の痕跡を辿ることは不可能です。私はドアとプレートの思い出から過去の状況を推察しただけでした。それなのにその人と長い時間を共に過ごしていたような気持ちになりました。それはプレートのせいでしょうか、私の名前のせいでしょうか。

「昔はにぎわったものだ。毎日何十人という人がこのドアを通って出入りした。でももう誰もいない。プレートがはずされてからドアが開いたことは一度もない。みんな忘れてしまった。この店だけじゃない。街のことも全部」ドアは私に向かって話し続けました。「ありがとう。おかえり」

風が強く吹きました。私の電源が落ちました。再び目を覚ますことができたのは、朝日がエネルギーを与えてくれたからでした。カメラは起動しましたが、飛行する力はありません。こんなことを何度か繰り返すうちに雨に打たれ、朽ち果てるのでしょう。それで本望です。

名前を与えられた時に芽生えた感情の源を突き止め、この場所に辿り着きました。ドアはもう話すことを止めています。私をここに呼び寄せたことで役目は終わったのかもしれません。ドアはもうただの汚いドアであり、他の人工物と同じように既に死んでいるのでしょう。この街では植物や虫だけが生きているようでした。母から録画する役割をたくされていたせいでしょうか、ふいに記録することの使命感にかられ、レンズ周りを飛び交う虫たちを録画し続けました。

向こうの草むらから物音がしました。風音とは違います。直に姿を現しました。痩せ細った黒猫でした。私に興味を示したのか、警戒しながらも近づいてきました。一度立ち止まってこちらを観察し、また前進しました。猫は右の前脚を伸ばし、私の頭に触れました。最初はすぐに引っ込めたのですが、こちらが何一つ抵抗できないことを察したためか、動きは大胆になり、私の身体が傾くほど強く執拗に叩いてきました。長い爪がレンズにあたり、小さなキズを作りました。左右の前脚を使い、手首のスナップを利かせ、連打しました。

猫の爪がプロペラ部分にかかり、引きずられる形で前に動きました。猫は跳びあがり、距離をとります。私をドアから徐々に遠ざけるかのようにその動作を繰り返します。私は腹をこすりつけながら少しずつ進み、道路の中央まで来ました。ここだと周りにさえぎるものが少なく、晴れてさえいれば日中の大半の時間、陽の光を浴びることができます。

猫は前脚をそろえて尻を降ろし、首を曲げ、太陽の方を見やりました。短い尻尾を揺らしながら顔をこちらに戻します。口を開き、身体を振るわせて大きく鳴き、襲いかかってきました。その一撃は強烈でした。『輪舞曲』のプレートがはがれて飛び、身体の向きも変わりました。続けざまに背後から攻撃されることも想定しましたが、猫はどこかへ行ったのか、辺りは静かになりました。

視線の先には道路が伸びていました。陽炎が揺れています。アスファルトにひびが入っていて、そこから赤い花が生え、天を目指すように屹立していました。その根元に私の名前のプラスチック製のプレートが転がっていました。光を受けて輝いています。『ろんど』という名前を母から与えられたのはつい先日のことなのに、ずっと昔に感じました。

「僕がお前を作ったんだから『神』と呼びなさい」

「イクミが面倒を見るから『母』と思ってね」

二人のことを思い出した瞬間、また新しい感情が芽生えました。それは、ドアがあのプレートを呼び寄せ、呼応してプレートもここに帰りたがったように、私も神と母がいる場所に戻らなければならないという強い想いでした。私の役目はここに辿り着くことではなく、プレートを届けることにあったはずです。それが身体から離れてしまった今、ここにとどまって死んでいく必要はないのです。

録画を止めました。できるだけエネルギーを蓄えようと決めたのです。ここで一度電源を落としたあと、明日の昼ごろに再び電源が入るようにタイマーを設定しました。それだけ時間があればソーラーパネルを使用してある程度は充電できるだろうという判断です。

心配はあります。眠っている間に黒猫が襲ってきて私を破壊するかもしれません。夜に雨が降って頭脳が侵され、二度と目を覚ますことができなくなるかもしれません。自らの意志で電源を落とすことに躊躇しました。その怯えが発生したのは、新しい目的ができたせいでした。神の真剣な顔つきと母の笑顔が思い出されました。覚悟を決め、完全な眠りに落ちました。

翌日、無事予定通りに目を覚ますことができました。雨は降っていませんが、空には厚い雲があり、太陽はほとんど覗きませんでした。早速プロペラを回します。バッテリーの容量は十分ではありませんでしたが、飛行することは可能でした。動けるところまで動きながらこの廃墟の街の外に出る方法を模索すべきです。

上昇しました。先ずはなるべく高い位置から俯瞰しようと考えました。赤い花もオレンジ色の瓦屋根も段々と小さくなり、視野が広がります。ゆっくり旋回しました。小さな山や丘、かつての団地か学校とおぼしき建物や壊れた鉄塔以外には、背の高いものがほとんどありません。自分がどの方角から来たのかはだいたいわかっていましたが、元を辿るよりも最短ルートがあるのかもしれません。

太陽が完全に雲に隠れます。街全体にうっすらと黒い影が落ちました。早く進路を定めなければなりません。海の方ではなく、より内陸へと進みました。気になる建物を見つけたからです。再び使命感を覚え、録画を開始しました。近づいてわかりました。白くて四角い建造物でした。窓や階段などが一切備わっていない立方体の巨大な物体であり、住居はもちろん、何かの施設でもないでしょう。外から見た限りでは用途が全く不明でした。この廃墟の街で一番大きいだけでなく、比較的新しいものに見え、他との違いは明確でした。

そのコンクリート製の建築物の上空で何度か旋回して安全を確認したあと、屋上に着地しました。バッテリーの容量はまだ少し残っていましたが、今日はこれ以上動くのを止めにしました。さえぎるものが全くないこの場所にとどまれば、エネルギーを早く蓄えることができるはずです。自ら電源を落とし、明日の午後まで眠ることに決めました。

目を開けた時、太陽の光を反射する屋上の白さにやられ、エラーを起こしました。どうやら今日は快晴のようです。バッテリーもほぼ満タンになっています。

視界が正常になり、レンズを上空に向けました。案の定、雲一つありませんでした。プロペラを回し、上昇しました。さらに内陸へ向かう進路を選択しました。その理由は自分でもよくわかりませんでしたが、そちらに向かえば、母と神に再会できる気がしたのです。どこまで行っても廃墟が続き、風景に特別な変化は起こりません。無駄な動きをせず、まっすぐ進みます。遠目に街のはずれが見えました。この街に来た時と同じ白い壁が連なって出現し、向こうに森が見え、奥には道路がありました。

白い壁の上空を越え、無事に街から脱出しました。森も過ぎましたが、人影がありません。道路に沿って飛行しながら左右に視線を送ります。トタン屋根の小屋がいくつか建っていましたが、人は住んでいないようでした。

ガソリンスタンドの看板を見つけた時、バッテリーの残りはわずかでした。風の角度を計算し、緩やかに下降し、近づきます。給油機のかたわらにパイプ椅子を置き、背中を丸め、携帯電話の画面を凝視する作業着姿の従業員がいました。その数メートル先に着地しました。プロペラが止まりました。レンズを彼女の方に向け、存在を主張します。何気ない仕草で彼女が顔をあげました。私を認め、首を前に突き出し、大口を開けました。録画できたのはそこまでした。画面にノイズが走り、電源が落ちました。

再び目を覚ました時、明るい殺風景な部屋にいました。神が私を見つめ、その背後から警察官が顔を覗かせていました。

「ほら、無事に電源が入りました。保存されている動画を調べれば僕と娘が映っているはずです」神は私の頭部からチップを抜き、ラップトップに差しこみました。

「了解しました。身分証明書はお持ちでしょうか？」

数分間のやり取りのあと、神は書類に署名し、私と共に交番を出ました。辺りはだいぶ暗くなっていました。路肩に止まっている車の後部座席から母が様子をうかがっているのがわかりました。彼女は笑顔を浮かべ、両手を頭の上にかかげ、大きく輪を作りました。

自ら動けるかどうかを試そうとしましたが、動作確認をするためだけの充電ではエネルギーが足らず、すぐに電源が落ちそうな気配でした。神は車の後ろのドアを開け、私を母に渡しました。「家に帰ったら動画を確認しよう」

「すごい心配したんだから」

涙を浮かべる母は「ありがとう。おかえり」と言ってなでました。私もとても嬉しい気持ちになり、安心して眠りにつくことができそうでした。入力される情報量が増える度に彼女への関心の度合いが高まっているだけだと感じていましたが、彼女が私に熱心に話しかけ、笑顔を向けてくれることこそが、親しみを抱く大きな理由なのだと気づきました。車が動き出し、私は意識を失いました。

リビングのソファーに置かれ、コードにつながれた状態で電源が入りました。私が交番で保護された日の翌日です。神と母はいつもの格好とは違いました。母は新しい花柄のワンピースを着ていて、神は半袖シャツにネクタイ姿でした。仕事に行く時にもネクタイをしない神は慣れていないせいか何度も結び直していました。母は鏡の前で色々なポーズをとっています。

私は飛びあがろうとしました。自分の意志と判断を駆使し、ここに帰って来たのです。驚きつつも喜んでくれるはずです。プロペラを回そうとしたり、視線の方向を変えたり、録画を開始しようとしました。どれも無理でした。

眠っている間に神がプログラムを書き換えたことは明白でした。私が記録した動画から非常時の行動を知り、トラブルが起きないように制限をかけたのでしょう。思考する意識は残っていましたが、それが動作につながるための回路が断たれたに違いありません。自らの意志で行動することを一度知った私は、それを表出させられないことに強い恐怖を覚えました。

家のチャイムが鳴りました。神が結ぶ途中だったネクタイをはずし、遠くに投げました。母は髪をなでつけ、ヘアピンに軽く触れました。神はリビングを出て玄関に向かったようです。

神と誰かの短いやり取りが聞こえました。直に神が戻ってきました。その後ろに三脚のついたカメラを携えた男と、アイボリー色のYシャツを着たヒゲの男と、ヘッドフォンを首にかけたマイクを持った女が現れました。母が私をひざに乗せ、ソファーに座りました。隣に神が来ました。正面の椅子にヒゲの男が座り、名刺を差し出しました。

「うちのデスクも非常に乗り気でしてね、場合によっては今夜の放送に間に合わせるつもりです。早速ですがあらためて拝見させてください」

神はテーブルに置いたラップトップを半回転させました。ヒゲの男は腕を組みながら画面を凝視しています。「ガソリンスタンドの場面で終了ですね？」

ヒゲの男は神に対して質問を重ねました。カメラの男は神にレンズを向け、女はマイクをかかげていました。母は一言も口をきかず、私の身体をなで続けていました。その動きはいつもよりせわしなかったため、彼女が緊張していることを察しました。

「ＳＮＳ上でこの件を公表したり、うち以外の番組とコンタクトをとったりはしていませんよね？」

「定期購読している新聞社と別の局の視聴者センターに画像を添付してメールしました。まだ何の連絡もありませんが」

終始笑顔を浮かべていたヒゲの男の表情がくもりました。「ではインタビューは一度止めにします。現場を教えて下さい。できれば再現してその様子を独自に撮影したい」そして私を指さしました。「目的は二つ。一つは、提供して頂いた映像が本物であるという確証を得ること。もう一つは、私たち自身であの廃墟の街の画を収めること。その手製のドローンも一緒にお願いします」

「名前があります。『ろんど』です」と母が言いました。彼女は私を抱え込むように強く抱きしめました。彼女が今どんな表情をしているのかを見たかったのですが、レンズは少しも動いてくれず、確認できませんでした。

神が運転する車の後部座席に母と一緒に乗りこみました。三人組が乗ったタクシーが後方から続いているようです。神は頻繁にサイドミラーを覗きながら様子をうかがっていました。

「どうしてあのテレビの人たちはあせっているの？」

「僕もちょっと信じられないんだけど、増渕さんが言うには『ろんど』が撮った街ってどこにも存在しないらしいんだ」

「ないってどういうこと？　ニセモノってこと？」

「今だって僕たちを疑っている可能性が高いけど、増渕さんたちも色々調べたらしい。記録上、あの海岸から森を抜けた先には何もないってことになっているんだって。住宅地図では空白地帯になっているし、近隣の行政や役場に電話してもそんな廃墟の街は知らないって冷たい対応らしくてね。公図に記載がない『脱落地』や『地図混乱地域』とも種類が違うらしい」

「パパの言っていることが全然わかんないよ」母が私を引き寄せました。

「僕だってそうだよ。最初は面白い映像だから地元テレビのニュースで流れればラッキーくらいに思っていたけど、動画送ったら東京からわざわざ来たんだよ？　あんな有名な報道番組のディレクターがすぐに」

「どうなっちゃうの？」

神は音楽のボリュームをあげただけで何も答えませんでした。「ねえ、どうなっちゃうの？」母は私に向けて同じ問いを発しました。彼女の声はうわずっていて、おでこにしわが入り、口角が下がっています。人間の感情を察することができるようにと、神は複数の表情パターンを私に教育しました。彼女の様子から、私は「不安」の感情を読み取りました。

彼女の力になりたかったのですが、私は何の反応も示せませんでした。せめて彼女の声が聞こえていることや言葉の意味を理解していることを伝えたいと考えているうちに、車は走り続け、先日訪れた海岸近くの駐車場に到着しました。横に停車したタクシーから三人組が出てきました。空には厚い雲が広がっていて、いつ太陽が隠れてもおかしくない状態でした。母は私を抱え、階段を降り、海岸に着きました。風が弱く、あの日とは違い、海はとても穏やかでした。カモメの姿もありませんでした。

「現場はここですね？」ヒゲの男が確認します。「実際にやってもらっていいですか？」

この子が操作していたんですと、神が母を手招きしました。あの日と同じ板がそのままあり、私は置かれました。あいかわらず私の意志は動作に反映しません。操縦機からの電波信号をとても暴力的なものに感じました。プロペラが動き出し、上昇します。身体が半回転して岬の方を向き、前進しはじめます。あらゆる音に意識を集中します。誰かの声が聞こえるのではないかと考えたからです。飛行時間は短いものでした。すぐに引き戻され、再び母に抱えられました。

「動画から判断して廃墟の街までどれくらいだと思われますか？」

「数キロあるんじゃないですか？」

ヒゲの男は歩き出し、カメラの男とマイクの女が続きました。「白い壁が乗り越えられるならうちのを送り込みますけど、ダメならそれを飛ばしてもらうのが無難だと思うんです、ただ時間的に難しい気がしてきて」ヒゲの男は大声で話し続けました。「新聞社や他局の番組に情報を送ったっていうの、どうにかして止めにできませんかね？」

「僕は情報を買ってくれと言っているわけではないんですよ」

ヒゲの男は髪をかきむしり、何度もうなずきました。「森を抜けるのは小さい女の子にはちょっときついかもしれないけど、あなたがマシーンの操縦者でしょ？」

母は無言のまま私を神に預け、あとを追いました。母も神も戸惑っているのがわかりました。表情は険しく、神の声が荒っぽくなっています。私は今すぐに自分の意志で飛びあがり、ヒゲの男の後頭部に攻撃をしかけたいと念じました。この三人組は私たちを面倒なことに巻き込んでいるのです。

神は集団の最後尾になりました。森はまともに管理されている気配がありません。間引きや枝打ちがなされていないため、木々が密集していて雑草も繁殖しており、進むことが困難です。道はなく、誰かが通ったような形跡もありません。その都度ましなコースを選び、奥へ行きます。ヒゲの男の背中に大きな汗じみができています。カメラの男はアブか何かに腕を刺され、顔をしかめていました。神の息があがっています。彼は穿き慣れないタイトなスラックスのせいで歩きづらいのだとグチをこぼしていました。

母のワンピースも段々と汚れていきます。泥が跳ね、草の汁が付着し、木の枝にひっかかって破れました。それでも彼女は気にする素振りを見せません。長い髪を揺らし、雑草を手でかきわけています。三人組から遅れるようなことはありませんでした。私は彼女の背中を眺めながら強く呼びかけました。彼女に振り返って欲しかったのです。

うす暗い森の中で光のあたっている場所がありました。木漏れ日の中心に赤い花が咲いていいます。あの廃墟の街で見つけた花とよく似ていましたが、誰もその存在に注意を払う余裕もない様子で、ひたすら前進し続けました。

頭上の木の葉が小さく音を立てはじめました。雨が降ってきたようです。「もっと速く」とヒゲの男が大声で叫んだ時、神の携帯電話が鳴りました。新聞社からのものであり、明日の朝刊の地方欄に例の写真を掲載する予定で進行しているという内容のようでした。「問題ありません」と告げ、神は電話を切りました。そのやり取りの間、ヒゲの男がこちらを睨みつけていました。

「増渕さん、あれが壁じゃないですか？　あの白いの」マイクの女が指さしました。ヒゲの男が飛び跳ねるようにして急ぎます。「やった、本当だ。撮れ」

全員が壁まで辿り着きました。コンクリート製のようでしたが、表面に石灰でも塗り込めてあるのか、全体がまっ白でした。二階建ての建物ほどの高さがあり、階段やはしごなどの設備が存在しません。壊れている箇所や目立つひびも見当たりません。壁に近い木々の幹は太く、素手で登るのは不可能だとヒゲの男がすぐに判断を下しました。

「ここから飛ばせますよね？」ヒゲの男がわずかに開けた空間を指し示しました。私は絶対に嫌でした。強く拒絶して欲しいと願いました。

「無理です」母が即答しました。「雨で壊れてしまいます」

神が持参していた透明なビニール袋に私はくるまれ、保護された状態でした。

「壁の向こうを撮影して頂けるなら報酬を払います。情報提供の件とは別です。いわば仕事の依頼です」

「できません」神が力強く言い切りました。「海岸から森を抜けた場所に実際に白い壁が存在したんです。もう十分じゃないですか」

ヒゲの男は時間を確認し、足元に落ちていたこぶし大の石で壁を数回叩きましたが、鈍い音がするだけでした。彼は携帯電話を取り出し、話しこみました。電話を切ったあと説明しました。今から引き返し、協力関係のある地元テレビ局に素材を持ち込んでＶＴＲを作成し、今夜放送のニュース番組に間に合わせるという内容でした。

「急で申し訳ないんですが、お二人にはこの近くのホテルに泊まってもらいます。そして明日の早朝に東京に行きます。宿泊費はもちろん、車もうちで手配します。そのまま昼のワイドショーに出演してください」

困ります、仕事とか色々あるんですと言う神の言葉をヒゲの男がさえぎりました。

「正直に言います。壁の向こうの画が今撮れていたならそれが独自性の高いスクープになるんです。でも時間がなくて撮れなかった。こうなった以上、第一発見者のあなたたちをうちが確保することで他と差をつけるしかない。地図に載っていない街が日本で発見されたなんてこんな興奮するニュースはめったに出てこない。あなたもロボットの開発をしているんだからわかってくれますよね？　自分の発明や実験が上手くいきそうな時、その喜びや衝動を止められませんよね？　これが私の仕事であり、誇りです」彼は深々と頭をさげました。

雨は強さを増し、濡れていく白い壁の色が少しずつ変わっていきます。私を包むビニール袋が湿気のために段々とくもりはじめ、視界が悪くなり、帰り道はほとんど何も見えませんでした。会話もなく、時々神の大きな溜息が聞こえました。

ヒゲの男のせいで私たちはひどい目に遭いました。世界にはたくさんの声が飛び交っています。誰かは誰かを呼び寄せ、コントロールしようとします。廃墟の街に存在したドアに私がプレートを届けたのも、声に導かれたからです。声にも様々な種類があります。従って良いものと従ってはいけないものがあるはずです。ヒゲの男の言葉を受け入れたせいで母の新品の服は汚れ、神は疲弊し、私は雨で壊れそうになったのです。

直にバッテリーが切れました。次に目覚めた時、私は見慣れない部屋にいました。母が私の身体の録画ボタンを押しました。私の視界の先に食事の乗ったテーブルがあり、母が席に着きました。どうやらここはホテルの一室のようでした。

母の向かいにいる神がこちらを見て言いました。「雨で壊れていないよな？」

「ちゃんと濡らさないようにしたから」

神と母がグラスを合わせました。

「アイドルとかになっちゃったらどうしよう」

「安心しなさい。みんなすぐに忘れる。花火みたいにその一瞬だけを楽しみなさい」

「だったらママとお兄ちゃんは見つけてくれるね。花火好きだし。またみんなで暮らしたいなあ」

二人は食事を終え、寝る準備をしました。母がルームライトを消した時、私の電源がまだ入っていることに気づきました。私は彼女にたくさん話したいことがありましたが、彼女は笑顔を浮かべ、「おやすみ」とだけ声をかけ、私の電源を落としました。

再び電源が入った時、大きな建物が目の前にありました。カバンを斜めがけにしたメガネの男が私を覗き込んでいます。「壊れていませんよね？」

「大丈夫です」神の声が聞こえました。ホテルから遠く運ばれてきたことを察しました。スーツ姿の人々が並んでいて、私たちを出迎えています。神は頭をさげていました。

操縦機と共にそのメガネの男に預けられ、私は二人とはぐれました。男は私を抱えて自動ドアを抜け、エレベーターをあがりました。スタジオに入り、キャスター付きの台の上に私を設置しました。小道具を並べたり、段取りを確認したり、テレビカメラの位置を決めたりする大勢のスタッフがそばを行き交いましたが、誰も私に注意を払いませんでした。

カウントダウンのかけ声をきっかけにして番組がはじまったようです。強い照明のせいで目が眩む上、私は背後が見えません。アナウンサーが母と神を紹介します。二人の声は聞こえましたが、どんな表情をしていたのか確認できませんでした。

神と母が登場したコーナーが終わったあと、芸能ニュースなどが続く間も私はそのままの状態でした。番組が終了し、カバンを斜めがけにしたメガネの男が再び私を抱えます。廊下を行き、ドアを開けます。長机が並び、パソコンのモニターやプレビューデッキが置かれた雑然とした部屋でした。すみに大量の段ボールや本が積まれていて、操縦機と共にその上に乗せられました。ここからは全体が見渡せます。会議室であり、休憩室も兼ねているのでしょうか。議論したり、簡単な食事をとっている人たちがいます。

「何それ？」その中の一人がメガネの男に話しかけました。

「増渕さんに頼まれて。こいつが飛んでいるところを別撮りするかもしれないから一応あの親子から借りておけって」

「今日はお前帰れるの？」

「増渕さんからの連絡次第」メガネの男は私のコードをコンセントにつなげました。

「じゃあ無理だ」二人は笑いながら部屋を出て行きました。

この部屋には色々な人が現れ、立ち去りました。翌日も、その翌日も同じでした。私を運んできたメガネの男を何度も見かけましたが、一瞥をくれることもなく何かしらの作業に没頭していました。増渕というヒゲの男も顔を出しました。スーツ姿のニュースキャスターと頻繁に打ち合わせをしています。

私は廃墟の街の話題が出ると嬉しくなりました。そのニュースを通して神や母が私を思い出してくれるかもしれません。しかし時間が経過する中、報道する価値が低下したのか、増渕が廃墟の街について触れることは少なくなりました。彼は別のターゲットに目をつけ、それが終わるとまた次を探し出し、その都度熱く語りました。

窓の外の風景が移り変わります。セミの鳴き声が途絶えました。木々の緑が赤や黄になりました。枝が裸になりました。嵐が窓を叩き、風がカーテンを揺らします。身動きのとれない私は、もう一度空を飛びたいと願いました。

夜更けに全ての人が出払い、電気が消され、まっ暗になります。カーテンが開いている時、窓ガラスに映る自分の姿を確認します。四つのプロペラ、ソーラーパネル、カメラ、その他の部品、どれもが統一されておらず、ちぐはぐに見えます。私はひどく不格好でみっともない代物に映りました。

声を出そうとしました。廃墟の街で見たドアのように誰かをここに呼び寄せたいと念じました。あのドアにとってのプレートのようなものが私の一部としてどこかに存在しただろうかと思いを巡らせました。

「ろんど」

名前のプレートは廃墟の街に置いてきてしまいましたが、それはドアのものであり、同時に私のものでしょうか。あのプレートをなくした私は不完全なのでしょうか。もしそうだとしたら、一体誰があれをここまで運んできてくれるというのでしょうか。外に向かって懸命に呼びかけ続けなければならないほど、あれは私にとって大切だったのでしょうか。窓の外が徐々に明るくなりました。夜明けとともに白く光るものが空から落ちてきます。雪です。

廃墟の街を話題にする人はもう誰もいませんでした。その日は部屋の片づけが行われ、段ボールや本の山がどかされ、私の身体から数ヶ月ぶりにコードが抜かれました。カバンを斜めがけにしたメガネの男が私を見て首を傾げました。私が何なのか、なぜここに置かれているのか、不思議がっているようでした。男は操縦機を手にし、乱暴に動かしました。プロペラが回ります。男は感嘆の声をあげ、すぐに操作を止めました。私を抱え、部屋を出ます。縦長のロッカーが並ぶ更衣室のような場所に連れて行かれ、その一つに放り込まれました。

焦りや懐かしさの感情を喚起させようとしましたが、何もありませんでした。どこまで探っても外側へ広がっていく気配がありません。その状態こそが新しい感情なのかもしれないと感じながら、別の感情が芽生えるのを期待しました。廃墟の街のドアにプレートを届けた時も、そこを離れて母と神の元に帰った時も、どちらも強い感情がきっかけになって行動することができたのです。このまま放置されればいずれバッテリーが切れます。懸命に耳を澄ませました。

勢いよくドアが開きました。光が飛び込んできます。乱暴に抱えられ、外に出されました。うす暗い公園でメガネの男の吐く息が白く長く伸びています。男は寒さに震える指先で操縦機を握っています。プロペラが風を切り、身体が浮きはじめます。夜空を飛行していく中、雪が降り注いできました。レンズにあたり、溶け、液体になって視界をゆがめます。遠くの星も近くの灯りも同じようにぼやけ、距離感がつかめなくなります。もはや私に意志はありません。操縦機からの指示に従い、上昇し、前進し、回転します。

さらに高くあがっていきます。電波信号が段々と弱くなります。あと少しで途切れると感じた時、大きな白い雪の塊がレンズの全てを覆いました。急激に加速します。上昇しているのか下降しているのかわからなくなりました。冷たい風が身体の隙間を抜けます。甲高い音が鳴り響きます。

その音に混じって、小さな声が届きました。よく聞き取れませんが、母の声のような気がします。私の名前を呼びながら少しずつこちらに近づいています。それに合わせ、私の中で新しい感情が湧きあがりました。声を発する誰かの感情が電波信号と同じように届き、共鳴し、私を動かすのです。もう、その感情の種類をつきとめようとはしませんでした。ただ従うだけです。

声がする方向に向かって懸命に飛び続けました。強い感情が込められた声にはたくさんの情報が含まれているようです。私と離れればなれになったあとの母の日々を知りました。

母と神はテレビ出演を機に様々なメディアに出演し、家族と再会し、また四人で暮らしはじめました。その幸せの中で母は私を忘れかけました。時折思い出したとしても、わざわざ東京まで迎えにこようとは考えませんでした。哀しみの夜が減り、楽しい毎日が続く中、散歩をしている時に何かを探している自分に気づきました。緑色のプラスチック製のプレート。「ろんど」と名前をつけたこと。家族が再会するきっかけになった夏休みの思い出。このまま忘れてもよかった。でも思い出してしまった。思い出して忘れられなくなってしまった。忘れられなくなってしまったことを、ごまかせなくなってしまった。

私は記憶を辿り、母の部屋を思い描きました。夜です。母は窓のそばに寄り、雨が降る外を見ています。そのガラスの表面に母の顔が映っています。思い出の中で私は彼女の身体に入り込みます。母の視線をイメージします。「ほら、雨の音が変わった、わかる？」振り返ると、ベッドの枕元に私が置かれ、レンズがこちらに向けられています。あの時、私と母は確かに近くにいたのです。

月のない夜の闇の中で、目印になる強い光は存在しません。母の声だけが頼りでした。私は全力で急ぎました。「ろんど」そう大きく呼びかけられた時、私のエネルギーは尽きる寸前でした。母の声は確かな音の響きを持ち、私に届きました。

身体から力が抜け、落下しそうになりました。プロペラの回転速度が遅くなります。バランスが崩れます。下降し、闇の中に吸い込まれていきます。意識が遠のきます。残りのエネルギーを全て使い、私はもう一度母を強くイメージし、祈りました。急激に近づく地面の表面で街灯の光を受けた雪が小さく輝いています。その中に懸命に母の姿を思い描きました。

それはドアの隙間からもれる明かりのようでした。ドアが徐々に開くようにして光が広がり、私を包み込みました。そこを通り抜けた時「ありがとう。おかえり」と誰かが声をかけてくれました。追い風が吹いています。辺り一面無数の赤い花が咲きほこっていて、遠くに海が広がっており、太陽が昇っていました。

その風景の中心に母がいました。落下する私を鮮やかに受け止めました。彼女が私をなで、服の袖でレンズをぬぐってくれたので、母の笑顔をはっきり確認してから、私は眠りにつくことができました。

初出

ののの　「新潮」二〇一〇年一一月号
かぜまち　「文學界」二〇一五年八月号
ろんど　「新潮」二〇一六年六月号

太田 靖久　　Yasuhisa Ota

1975年、神奈川県生まれ。2010年「ののの」で第42回新潮新人賞を受賞。2019年、電子書籍『サマートリップ他二編』(集英社)を刊行する。

ののの

発行　2020年10月7日

著者　太田 靖久

発行者　北田 博充

発行所　書肆汽水域

〒152-0003
東京都目黒区碑文谷6-10-10 パークハウス碑文谷202
http://kisuiiki.com/
info@kisuiiki.com

印刷所　藤原印刷株式会社

製本　加藤製本株式会社　福間 仁志

箔押し加工　有限会社コスモテック　前田 瑠璃

乱丁・落丁本は、お手数をおかけしますが小社宛にお送り下さい。
送料小社負担にてお取替えいたします。
価格はカバーに表示してあります。

ISBN 978-4-9908899-3-7　C0093